OSTSEE
NORDSEE
Sylt
Flensburg
Kappeln
Husum
Fehmarn
Helgoland
Friedrichstadt
Schleswig
Rendsburg
Büsum
Nord-Ostsee-Kanal
Kiel
Rügen
Saßnitz
Bergen
Stralsund
Rostock
Eutin
Greifswald
Wismar
Lübeck
Ratzeburg
Cuxhaven
Wilhelms-haven
Greetsiel
Jever
Emden
Bremerhaven
Hamburg
Güstrow
Anklam
Neubrandenburg
Mölln
Waren
Schwerin
Leer
Ems
Bremen
Boizenburg
Pasewalk
Oldenburg
Lüneburg
Parchim
Ludwigslust
Prenzlau
Verden
Uelzen
Wittenberge
Eberswalde
Meppen
Elbe
Lingen
Nienburg
Celle
Neuruppin
Wolfsburg
BERLIN
Minden
Stendal
Hannover
Rathenow
Osnabrück
Tangermünde
Oder
Rheine
Bückeburg
Braunschweig
Brandenburg
Frankfurt
Burg
Potsdam
Münster
Warendorf
Bielefeld
Hildesheim
Magdeburg
Fürstenwalde
Hameln
Hamm
Goslar
Halberstadt
Luckenwalde
Dortmund
Soest
Lemgo
Weser
Wittenberg
Bochum
Einbeck
Wernigerode
Cottbus
Essen
Paderborn
Quedlinburg
Dessau
Spree
Duisburg
Hagen
Göttingen
Eisleben
Finsterwalde
Rhein
Wuppertal
Hann. Münden
Torgau
Neiße
Düsseldorf
Kassel
Nordhausen
Halle
Sondershausen
Bitterfeld
Frankenberg/Eder
Leuna
Leipzig
Riesa
Kamenz
Görlitz
Köln
Freudenberg
Fritzlar
Mühlhausen
Siegen
Melsungen
Sömmerda
Bautzen
Fulda
Meißen
Aachen
Langensalza
Naumburg
Dresden
Marburg
Weimar
Siegburg
Eisenach
Erfurt
Freiberg
Pirna
Bad Hersfeld
Gera
Gotha
Jena
Saale
Zittau
Herborn
Lahn
Werra
Karl-Marx-Stadt
BONN
Saalfeld
Zwickau
Limburg
Wetzlar
Alsfeld
Annaberg
Monschau
Gießen
Suhl
Koblenz
Bad Ems
Meiningen
Plauen
Monreal
Frankfurt
Bad Brückenau
Sonneberg
Mosel
Wiesbaden
Cochem
Boppard
Kaub
Aschaffen-burg
Bad Kissingen
Coburg
Kulmbach
Hof
Schweinfurt
Bellstein
Bingen
Mainz
Darmstadt
Trier
Main
Karlstadt
Idar-Oberstein
Worms
Bayreuth
Bamberg
Weiden
Michelstadt
Würzburg
Saar
Forchheim
Ochsenfurt
Ludwigshafen
Mannheim
Erlangen
Kaiserslautern
Heidelberg
Creglingen
Amberg
Saarbrücken
Rothenburg
Nürnberg
Speyer
Schwetzingen
Heilbronn
Ansbach
Schwäbisch Hall
Weißenburg
Neckar
Karlsruhe
Pforzheim
Ludwigsburg
Eichstätt
Regen
Schwäbisch-Gmünd
Ingolstadt
Regensburg
Stuttgart
Nördlingen
Straubing
Baden-Baden
Eßlingen
Donauwörth
Tübingen
Reutlingen
Isar
Passau
Rhein
Lech
Ulm
Augsburg
Landshut
Freudenstadt
Donau
Sigmaringen
Inn
Breisach
Donaueschingen
Memmingen
Freiburg
Wasserburg
Ottobeuren
Landsberg
München
Rosenheim
Lörrach
Konstanz
Meersburg
Kempten
Linderhof
Tegernsee
Friedrichshafen
Neuschwanstein
Bad Reichenhall
Lindau
Garmisch
Bodensee
Oberst-dorf
Berchtesgaden
Königssee

Deutschland

Germany

L'Allemagne

Ein Bildband von Otto Siegner

Verlag Ludwig Simon · München-Pullach

Mit einer Einführung von

Arnold Schulz

Was ist Deutschland? – In aller Einfalt und ohne jeden provokatorischen Hintergedanken sei diese Frage vorangestellt. Ein paar wenige Minuten des Nachdenkens reichen schon aus, uns die Schwierigkeit ihrer Beantwortung aufzuzeigen. Der Historiker wird sie anders deuten als der Politiker. Der Soziologe weiß eine andere Antwort darauf als der Kulturhistoriker. Der Philosoph wird sich dabei vielleicht auf Kant oder Hegel berufen. Den Geographen wird sie höchst nachdenklich stimmen und selbst der Sprachforscher kann uns nur schwerlich weiterhelfen.

Deutschland – ein fiktiver Begriff? Wunschtraum der Älteren? Schöner Wahn, unwirkliches Gebilde, Illusion und Spielball zweier Machtblöcke? Alles in einem, das mag die Wirklichkeit noch am ehesten zu treffen. Wenn man so will, ein Land, das es eigentlich gar nicht mehr gibt, dennoch vielgeschmäht und vielgelobt. Von vielen als Heimat eines unverbesserlichen Nationalismus verschrieen, von anderen wieder als die Heimat unverbesserlicher Träumer bespöttelt.

Erinnern wir uns: das Heilige Römische Reich deutscher Nation war ein anderes als das Zweite, und dieses wieder ein anderes als das Dritte Reich. Schließlich brachte das unheilvolle Jahr 1945 den totalen Zusammenbruch allen Wahnes und führte zur Zweiteilung dessen, was man zu allen Zeiten mit dem Begriff Deutschland belegte. Gleichsam durch Verwaltungsakte wurde im Westen die Bundesrepublik Deutschland geschaffen und im Osten die Deutsche Demokratische Republik. Beide verstehen sich als „Sachwalter der deutschen Idee" und jedes der beiden Länder will glauben machen, alleinige Heimat der „guten" Deutschen zu sein. Und beide trennen Welten. So könnten Eiserner Vorhang und Mauer in Berlin sichtbarer Ausdruck dessen sein, was ideologisch und praktisch längst vollzogen wurde: der Teilung Deutschlands.

Reichen gemeinsame Sprache, reichen gemeinsame Geschichte denn wirklich noch für eine – die vielbeschworene – Wiedervereinigung aus? Nehmen wir nur die Sprache. In Rundfunksendungen oder in Zeitungen der beiden Hälften Deutschlands wird längst nicht mehr die gleiche Sprache gesprochen. Auch in der Sprache haben wir uns auseinandergelebt. Und die Geschichte? Nun, wer mit offenen Augen durch die Welt geht, muß feststellen: wir stehen mitten im Ausverkauf unserer Vergangenheit. Neue Maßstäbe werden gesetzt, neue Wertigkeiten. Schon werden in beiden Teilen Deutschlands Führungspositionen mit solchen jungen Menschen besetzt, die erst nach dem Krieg geboren und damit in eine neue Zeit hineingewachsen sind, deren Ideale da lauten: Konsum, Produktionssteigerung, Gewinn, wirtschaftliche Macht. Dennoch reden noch immer genügend Menschen – Zufall, daß sie alle den älteren Jahrgängen angehören? – von Wiedervereinigung. So, als sei dies die selbstverständlichste Sache von der Welt. Als bräuchte man nur einen Mechanismus in Betrieb zu setzen, um das Gewünschte zu erreichen. Dabei läßt man ganz einfach unberücksichtigt, daß die Geschichte ihren zwangsläufigen Ablauf hat, mit mathematischer Genauigkeit bestimmbar, unterworfen einzig dem zwingenden Gesetz von Ursache und Wirkung.

Beide Hälften des alten Deutschen Reiches haben sich längst voneinander losgesagt, haben längst ihr Heil in zwei völlig verschiedenen Blöcken gesucht. Darf angesichts dieser Tatsache ein Politiker die Wiedervereinigung noch beschwören? Zuviele Bindungen müßten zuvor ungeschehen gemacht werden. Wer dabei gar auf die Unterstützung jener Mächte hofft, die einstmals das Deutschland von gestern unter sich verteilt haben, der zeigt sich schlecht beraten und noch schlechter informiert. Einem Franzosen, einem Engländer, einem Russen oder einem Amerikaner, aber auch jedem Bewohner eines europäischen Landes müßte der Gedanke an ein wiedervereinigtes Deutschland geradezu physisches Unbehagen bereiten. Man stelle sich doch einmal vor: das Wirtschaftspotential der DDR und der Bundesrepublik in einer Hand, das würde Marktbeherrschung, würde Weltmacht bedeuten. Gerade das aber möchte keiner mehr den Deutschen zugestehen. Und die Masse der Deutschen sich zweimal nicht. Dafür haben sich die beiden Deutschlands auch schon zu weit voneinander getrennt. Die Jugend des Ostens lebt in ihrer Ideologie – linientreu, fasziniert von dem Gedanken, aus Trümmern den „ersten sozialistischen Arbeiter- und Bauernstaat“ geschaffen zu haben. Und die Jugend des Westens tut sich etwas zugute darauf, keine „verstaubten Ideale“ mehr zu haben. Ihre Idole sind das Auto, die Eigentumswohnung, der wachsende Wohlstand, ausgedrückt im ständig raffinierter werdenden Konsum. Vaterland, Nationalgefühl? Papperlapapp, mit einer Handbewegung vom Tisch gefegt. „Leben“, so heißt die Parole, Ideologien sind bei der Masse verpönt. Wie überhaupt alles verpönt ist, was von den „Alten“ kommt. Die Bundesrepublik gehört der Jugend. „Traue keinem über Dreißig“ lautet eine der Parolen.

Dies alles sei ohne Bitterkeit, Ironie oder Traurigkeit festgestellt. Hier bewahrheitet sich das oben beschriebene Gesetz der Geschichte von Ursache und Wirkung. Hier zeigt sich aber auch ganz deutlich: vor solchem Hintergrund wird und kann es keine Wiedervereinigung geben. Wohl aber ein Arrangement zwischen den beiden Deutschlands. Gemeinsamer Handel, Freizügigkeit im Besuch der beiden souveränen Staaten, private Kontakte von hüben nach drüben, Abkommen, die den zwischenstaatlichen Verkehr regeln, mehr aber nicht. Wiederholen wir also noch einmal die Frage von vorhin: was ist Deutschland? Sagen wir zuerst, was es nicht ist: kein geschlossener Kulturraum, kein Ganzes, was Sitten und Gebräuche anlangt; kein natürlicher Staat wie etwa England, Frankreich oder Italien. Ja, nicht einmal ein einheitlicher Sprachraum. Zwar wird von Nord bis Süd und von Ost bis West „Schriftdeutsch“ gelehrt. Doch das Volk bedient sich untereinander ungleich farbigerer, lebendigerer, bildhafterer Dialekte. Denen für das Ohr nur wenig Gemeinsames anhaftet. So bliebe als Antwort die Überlegung, daß fürstliches Streben nach Macht, daß politische Willkür zusammengefügt haben, was in Wirklichkeit gar nicht zusammengehört. Das zu untersuchen bleibt Aufgabe der Geschichte, es würde den ohnehin sehr eng gesteckten Rahmen dieses Bandes sprengen. Ein kleiner, höchst unvollkommener und nur skizzenhafter Abriß der wichtigsten geschichtlichen Abläufe möge beim Leser die eine oder andere Überlegung anregen. Die historischen Anfänge Deutschlands verlieren sich irgendwo in grauer Vorzeit. Wir kennen zwar Funde aus Stein- und Eisenzeit, aus der Bronzezeit und aus anderen prähistorischen Epochen. Doch noch ist uns die Forschung in jedem einzelnen Fall eine gültige Deutung schuldig geblieben. Nur soviel steht fest: die germanische Frühzeit reicht etwa bis ins achte Jahrhundert vor Christi Geburt zurück.

Um die Zeitenwende drangen die Römer in den germanischen Lebensraum vor, als Eroberer, Kolonisatoren. Im Jahre neun nach Christus besiegte Armin der Cherusker die Römerheere des Varus im Teutoburger Wald. Um das einmal gewonnene „Neuland" abzusichern, errichteten die Römer einen Schutzwall, den Limes. Er reicht in etwa von Kelheim in Bayern bis Rheinbrohl, etwas rheinabwärts bei Koblenz. In der Völkerwanderungszeit (um 250 n. Chr.) kam es zu germanischen Reichsgründungen. Westgoten zogen über den Balkan nach Italien, nach Südfrankreich und bis Nordspanien. Vandalen gelangten bis Afrika, die Alemannen, Burgunder und Franken überquerten den Rhein, die Angeln und Sachsen erreichten Britannien und die Langobarden kamen nach Oberitalien. Chlodwig (466 – 511) schuf das Frankenreich, dem irische Mönche und ein Bonifatius das Christentum brachten. Karl der Große (768 – 814) gilt als Erneuerer des Kaisertums. Seine Nachfolger wiederum teilten untereinander auf, was zuvor mühsam vereinigt worden war. Otto I., „Der Große" (936 – 975), Begründer des „Heiligen Römischen Reiches Deutscher Nation", unternahm seine Romzüge.

Mit Konrad III. (1138 – 1152) kamen die Staufer auf den Kaiserthron: Friedrich Barbarossa (1152 – 1190), Friedrich II. (1212 – 1250). Von 1274 bis 1437 lenkten Herrscher verschiedener Häuser die Geschicke, bis 1438 sich die Habsburger der deutschen Kaiserkrone bemächtigten. Sie behielten sie schließlich bis zum Jahre 1806. Vier turbulente Jahrhunderte, erfüllt mit der Ausdehnung des Handels, mit wirtschaftlicher Blüte, mit Aufstieg des Handwerks und mit schrecklichen Kriegen, mit Seuchen, Belagerungen und Plündereien.

In die Regentschaft der Habsburger fiel die Reformation. Der Augustinermönch Martin Luther (1483 – 1546), Professor der Theologie zu Wittenberg, schlug am 31. Oktober 1517 an der dortigen Schloßkirche seine 93 Thesen an. Drei Jahre später veröffentlichte er seine Reformationsschriften, die ihm den kaiserlichen Bann einbrachten. Auf dem Reichstag zu Worms (1521) lehnte er den Widerruf ab: „Hier stehe ich, ich kann nicht anders, Gott helfe mir, Amen". Ritter seines Kurfürsten retteten den in Reichsacht und Bann getanen auf die Wartburg, wo er als Junker Jörg das Neue Testament übersetzte. Wieder in Wittenberg, begann er mit dem Aufbau der Evangelischen Kirche, heftig befehdet von Kaiser und Papst. Erst der Augsburger Reichstag (1530) bringt das Ende dieser Auseinandersetzung und im Augsburger Religionsfrieden schließlich (1555) werden die Protestanten vorläufig anerkannt. Zweites gravierendes Ereignis der Habsburger-Zeit: der Dreißigjährige Krieg (1618 – 1648). Unter dem Vorwand religiös-politischer Gegensätze zwischen Katholiken und Protestanten versuchten die Fürsten, ihre Macht und ihre Gebiete zu erweitern. Die Stände lehnten sich – die Gelegenheit war nie so günstig – gegen den Absolutismus Ferdinands von Österreich auf. Schweden, Franzosen, Böhmen, Habsburger, Bayern und Pfälzer bekriegten sich gegenseitig, zogen brandschatzend und plündernd durch die Lande. Wirklich in Christo Namen? Der Westfälische Friede anerkennt die Protestanten und Reformierten, sieht aber auch eine um ein Drittel dezimierte Bevölkerung Deutschlands.

Im Jahre 1806 legt Kaiser Franz II. die Kaiserkrone des „Heiligen Reiches" nieder. Von Süddeutschland ausgehend, hatten sich die Fürsten – außer Preußen, Braunschweig, Kurhessen und Österreich – zum Rheinbund zusammengeschlossen. Nicht erkennend, daß sie damit die Sache Napoleons I. zu ihrer eigenen machten. Mit den Befreiungskriegen (1813 – 1815) wurde dieser Bund wieder aufgelöst. In der 48er Revolution wirkt das Bürgertum dem Bestreben entgegen, die alten, vornapoleonischen Verhältnisse wieder herzustellen (Restaurationszeit). In der Frankfurter Paulskirche tritt die Nationalversammlung zusammen. Die „kleindeutsche Idee“ setzt sich durch. Friedrich Wilhelm IV. lehnt die deutsche Kaiserkrone ab. Im Jahre 1862 wird Bismarck Ministerpräsident von Preußen, zugleich Außenminister seines Landes. 1867 übernimmt er das Amt eines Kanzlers im Norddeutschen Bund. Nach dem Sieg 1870 über Frankreich gelingt es ihm, das Deutsche Reich neu zu gründen. Preußens König wird 1871 im Spiegelsaal von Versailles zum deutschen Kaiser proklamiert. Für das Deutsche Reich beginnt eine Zeit der Ruhe, des Wohlstands, der Selbstzufriedenheit. Der „vaterländische Gedanke“, genährt durch drei Siege (1864, 1866, 1870) wird zu einer Art „nationalem Glaubensbekenntnis“. Handwerk und Bürgertum wiegen sich in Selbstgefälligkeit. Dabei kommt, nur von wenigen richtig erkannt, die Industrialisierung, Revolution der Maschine, Beginn eines Zeitalters, da der Mensch vieler überkommener Wurzeln beraubt wird.

Der Weltkrieg 1914 bis 1918 reißt Deutschland, ja die ganze Welt aus jeder kleinbürgerlichen Beschaulichkeit. Anfängliche Begeisterung für den Krieg als willkommene Abwechslung in der Langeweile der Sattheit weicht der Niedergeschlagenheit der Hungerjahre und der Niederlagen. Bei sovielen Blutverlusten der Materialschlachten nie gekannten Ausmaßes greift Resignation um sich. Der Kaiser dankt ab. Revolution, Inflation, Arbeitslosigkeit, Parteienhaß geben alle Voraussetzungen – Gesetz von Ursache und Wirkung – für den zweiten, den noch schrecklicheren Krieg. Abermals steht Europa in Flammen, von 1939 bis 1945. Die Maßlosigkeit Hitlers führt die schwerste Katastrophe der Deutschen Geschichte herbei. Diesmal wird der Zusammenbruch noch furchtbarer. Hunger, Verzweiflung, Resignation erst, und dann ein Aufstieg, der voller Stolz als „Wirtschaftswunder“ bezeichnet wird. Die Geschichte wird beurteilen müssen, ob dabei Versäumnisse begangen wurden. Amerikanische Hilfe machte vieles möglich, Reparationen wurden gebremst, Westdeutschland erhob sich als „Phönix aus der Asche“.

Nicht ganz so glanzvoll endete die Nachkriegszeit für den deutschen Osten. Hier bestand vor allem die Sowjetunion auf die Erfüllung von Reparationsverpflichtungen. Millionen hatten darunter zu leiden und zu darben. Doch heute weist man voller Stolz auf das Erreichte aus eigener Kraft. Und ein bescheidener Wohlstand hat sich inzwischen auch in der DDR ausgebreitet. Auch wenn es viele nicht gerne hören, sei es hier gesagt: beide Deutschlands sind allein schon deswegen im jeweiligen Block, dem jedes angehört, zwar der eigenen Leistung wegen geachtet, keinesfalls aber überall beliebt. Tüchtigkeit und die Vergangenheit geben – berechtigt oder nicht – zu allerlei Befürchtungen Anlaß, wecken im Ausland Assoziationen. Damit müssen wir leben. Und allein schon darin ist der Grund zu suchen, daß an Wiedervereinigung, unabhängig von allen ideologischen Verschiedenheiten, nicht mehr zu denken ist.

Historiker mögen solch unvollständigen, fragmentarischen und gewissermaßen mit dem groben Pinsel skizzierten Geschichtsablauf verzeihen. Es sollte nur der Versuch unternommen werden, weitläufige Zusammenhänge herauszustellen, die über Jahrhunderte hinweg die Entwicklung eines Volkes beeinflussen. Geschichte baut auf, zerstört, gruppiert und trennt, im ewigen Wechsel. Einmal begangene Fehler, kaum beachtet, können, lawinengleich, über Jahrhunderte hinweg ihre Folgen zeitigen. Nicht jeder, der zu Lebzeiten gefeiert wurde, erhielt von Historikern späterer Generationen das Prädikat „Staatsmann“ zuerkannt.

Was ist Deutschland? Zum dritten Male sei hier diese Frage gestellt. Seien wir ehrlich: fühlt sich mancher Bayer nicht dem benachbarten Österreich näher verwandt als etwa Schleswig Holstein? Verstehen sich Alemannen mit Schweizern oder Elsässern nicht besser als etwa mit den Menschen im Ruhrgebiet oder in Sachsen – die Mauer und den Eisernen Vorhang einmal unberücksichtigt gelassen. Oder vermag der Westfale nicht eher mit dem Holländer als mit dem Württemberger zu fühlen? Und ist es nicht so, daß den Oberfranken im nordöstlichen Bayern die Bewohner des Thüringer Waldes trotz der politisch-ideologischen Trennung näherstehen als etwa die Ostfriesen?

Runde neunhundert Kilometer beträgt die Entfernung von Flensburg bis nach Berchtesgaden. und gute sechshundert sind es vom Saargebiet bis zur Oder. Meer und Alpen, fruchtbare Ebenen und waldreiche Mittelgebirge, Bauerndörfer und Industriezentren liegen zwischen den Grenzen in Nord, Süd, Ost und West. Die Lebensgewohnheiten der Menschen und ihrer Landschaft prägen Gemeinsamkeiten, nicht aber politische Ansichten oder Einsichten. Die einzelnen Stämme gehen auf Traditionen zurück, die ihren Ursprung im Gemeinsamen des Tuns und Broterwerbs haben. Vieles davon ist noch zu spüren, manches mußte bereits einer „Nivellierung", einer Aufgabe des Vergangenen weichen. Wir brechen, vielen gar nicht bewußt, mit Traditionen. Wir stehen mitten in einer gigantischen Revolution: „Weg vom Gestern".

Goethe und Schiller, Hölderlin, Kleist und Eichendorff, sie gelten als Deutsche. Doch schon hört man von Schulen, daß sie als „unzeitgemäß" abgelehnt werden. Der Zwinger in Dresden, das Brandenburger Tor, der Kölner Dom und das Münster zu Freiburg, das Werk eines Riemenschneider oder eines Dürer, die Wieskirche, die Ludwigstraße in München, Rothenburg ob der Tauber, sie verkörpern alle den deutschen Genius. Doch wer heute aufmerksam durch unsere Städte geht, der stellt fest, daß manches Überkommene kurzerhand dem neuen Zeitgeist weichen muß. Stahl, Beton und Glas, in manchmal beängstigender Einfallslosigkeit aneinandergefügt, sind zu einer Art Symbol unserer Zeit avanciert. In Ost und West. Dagegen helfen auch die immer spärlicher werdenden restaurativen Ansätze nur wenig. Unser Jahrhundert gibt sich sein eigenes, ein Einheitsgesicht. Auf dem Weg zu dieser „Profilierung" wird manch vordergründiger Forderung nach Modernität widerspruchlos stattgegeben.

Was ist Deutschland denn nun? Alles bisher Angeführte. Aber noch viel, viel mehr. Deutschland, das sind die motorisierten Schlangen, die vor allem an den Wochenenden Autobahnen und Landstraßen überschwemmen. Das sind junge Menschen, die einfach die „Welt der Alten" nicht mehr mögen, die ihren Protest durch Kleidung und Haartracht, durch Musik und Drogen-Stimulans, durch unartikulierten Haß auf jegliche „Tradition" hinausbrüllen. Das sind zwei Millionen Gastarbeiter, die abends und an Wochenenden unsere Bahnhöfe bevölkern; dringend benötigt, notwendiges Übel für jene Arbeiten, die Einheimische nicht mehr verrichten wollen. Das sind die Alten, die die Welt nicht mehr verstehen, die geradezu verschreckt auf Parkbänken und in Altenstuben hocken, von der Umwelt nicht mehr verstanden, in ein „Seniorenheim" von der Familie kurzerhand abgeschoben. Das sind die ungezählten Häuschen im Grünen, eigentlich Relikte der Vergangenheit, Idylle in hektischer Zeit.

Deutschland – das sind auch die Müllhalden und Autofriedhöfe draußen vor Städten und Dörfern, Bedrohung nie geahnten Ausmaßes, Tribut an die Wirtschaftswunderlichkeit und schier unlösbare Probleme. Das sind auch die protestierenden Studenten und jene, die ihr Studium ganz ernst nehmen, um nur ja bald in den Genuß des ständig wachsenden Wohlstands zu kommen. Das sind all die kulturhistorischen Bauwerke, jahrhundertealt, denen jetzt fressende Auto-Abgase ein schnelles Ende setzen. Zu Deutschland gehören auch jene, die kopfschüttelnd vor allem Neuen stehen, falls es sie in ihrer persönlichen Bequemlichkeit genieren sollte; jene auch, die der Jugend militärischen Drill, Frohnarbeit (Arbeitsdienst) und eine harte Hand anwünschen, die bei jedem Verbrechen gleich mit der Forderung nach Todesstrafe bei der Hand sind.

Deutschland, das sind die nur spärlich besuchten Kirchen, die aus Gründen der Steuerersparnis erklärten Kirchenaustritte, die radikalen politischen Gruppen jeder Couleur, Jugendverbände in Ost und West – uniformiert oder nicht. Das sind auch jene Züge mit fahnenschwenkenden, bierflaschenschwingenden, brüllenden und trompeteblasenden Männern, die irgendwohin zu einem Fußballspiel unterwegs sind. Deutschland – das sind aber auch die überfüllten Hörsäle der Universitäten, die bildungsfreudigen Besucher der Volkshochschulen, die Wandervereine, die aus lauter Idealismus Tausende von Wegekilometern für andere markieren. Das sind schließlich auch die Banküberfälle, die hohe Kriminalstatistik in West und die niedrige in Ost. Deutschland – das ist Schichtunterricht an vielen Schulen, das ist Lehrermangel, das sind Häuserblocks, von Flensburg bis Konstanz einander gleich; das sind Supermärkte, Warenhäuser und Elendsviertel am Rande der Großstadt. Das ist gesteigerter Alkoholkonsum und eine wachsende Zahl von Neurosen. Das sind neue Straßen, private Zirkel für Kammermusik, Luxusvillen und Obdachlosen-Asyle.

Deutschland – das sind Entwicklungshelfer, die sich für ein lächerliches Taschengeld in ferne Erdteile begeben, um dort zu helfen, das ist die Sexwelle und der Starkult mit piepsigen Stimmchen – Schlagersänger genannt; das ist Werbung und Schlagwortdenken, das sind Sekten und Brauchtumspflege. Das sind Museen, Schrebergärten, Minimode und Omalook, das sind Heimatvertriebene, die längst wieder seßhaft wurden, das sind aber auch Schwärmer, Schläger und Abartige. Deutschland – das sind wir alle. Judenvergasung und KZ nicht zu vergessen. Soviel steht fest: jeder einzelne, ob in Ost oder West, verbindet mit dem Begriff Deutschland eine andere Vorstellung. Wem stände es zu, voller Anmaßung zu behaupten, das oder jenes ist schlecht, das oder jenes ist gut. Vielfältig, schillernd, freundlich, abgründig und schön ist es, unser Deutschland. Wir sind hineingestellt, wir müssen damit leben, ob wir nun wollen oder nicht. Montesquieu hat einmal gesagt: „Glücklich das Volk, dessen Geschichte langweilig ist". – So gesehen, war Deutschland bisher kein glückliches Land. Aber vielleicht befinden wir uns gerade jetzt auf dem Weg zu diesem Glück. Wer weiß ...

Die Bundesrepublik Deutschland

Bayern

Seite 57–91

Je weiter man in Deutschland nach Norden kommt, um so mehr verstärkt sich das Klischee von „Bayern – der Feriengarten Deutschlands". Vom Ausland und gar von Übersee ganz zu schweigen. Dort steht bayerisch für deutsche Gemütlichkeit. Und ein Amerikaner, der nach „Old Germany" kommt, glaubt sich durch Sepplhut anpassen zu müssen. Wie auch im Norden unseres Vaterlandes noch vielfach die Meinung vorherrscht, daß alle Bayern schuhplatteln, jodeln, einen Trachtenjanker und einen Gamsbart am Hut tragen.

„Auch recht", sagen sich die Bayern. Und spielen – geborene Komödianten mit einem guten Schuß Bauernschläue – diese Komödie mit. Soweit wenigstens, wie es sie persönlich nicht beeinträchtigt. Was damit gemeint ist, weiß derjenige, der einmal außerhalb der Saison in einen der bayerischen Fremdenorte kommt. Dann ersetzen „modische" Sakkos die viel kleidsamere Tracht der Burschen, und Mini, Midi oder Maxi – je nach augenblicklicher Moderichtung – das so gut zur Landschaft passende Dirndl der „Deandln". Sicher wird auch gejodelt, geplattelt und gezithert – aber fast nur noch im Dienste des Fremdenverkehrs. Auch an Bayern ist die „neue Zeit" nicht spurlos vorübergegangen. Tempi passati.

In einem allerdings zeigt Bayern noch Tradition. Ist es doch immerhin das einzige Bundesland, das schon zu Kaisers Zeiten und während der Weimarer Republik dieselben Grenzen hatte, die der Freistaat der Nachkriegszeit besitzt. Die bayerische Historie ist reich und bewegt, das kulturelle Erbe vielleicht vielfältiger und berühmter als anderswo. München, Deutschlands „heimliche" und Hauptstadt der Kunst ist ein Begriff, und das ganze bayerische Land wird weltweit als die Heimat des Barock gepriesen.

Im Regierungsbezirk Schwaben herrschen zwar Milch- und Viehwirtschaft vor, doch stetig erobert sich der Fremdenverkehr hier, vor allem im Allgäu, mehr wirtschaftliche Bedeutung. Dort beginnt auch die Romantische Straße – bei Steingaden, und zieht über Schongau, Landsberg und Augsburg nach Donauwörth und weiter bis Dinkelsbühl und Rothenburg ob der Tauber, um schließlich im Land der fränkischen Steinweine zu enden. Vielleicht liegt uns das alles viel zu nahe – in Deutschland kennt man ja den Ausdruck, etwas sei „nicht weit her" – als daß es uns noch begeistern könnte. Ausländer geraten auf dieser Straße in Verzückung.

Die Dürerstadt Nürnberg, streckenweise liebevoll nach altem Vorbild wieder aufgebaut und das daneben liegende Fürth sind die Wirtschaftszentren Nordbayerns. Und Bamberg (Dom, Bamberger Reiter, Rathaus, Riemenschneider Altar) ist das Kulturzentrum Oberfrankens. Doch das eigentlich „Bayerische", das ist in Oberbayern zu suchen: die Berge zwischen Watzmann und Zugspitze, die Seen mit der malerischen Kulisse, die behäbigen Bauernhöfe, kurz all die Bilderbuchorte im Oberland. Doch dieses Bild wandelt sich langsam. München wurde inzwischen Industrie-Zentrum, manche Orte verpflastern sich die Landschaft mit Hochhäusern und das Bauerntum stirbt aus. Eigentlich schade.

Baden-Württemberg Seite 92–119

Am 25. April 1952 wurden die drei Länder Baden, Württemberg und Hohenzollern zum Bundesland Baden-Württemberg zusammengeschlossen. Ein Volksentscheid hatte es so gewollt. Dennoch verstummen jene Stimmen immer noch nicht, die von einem Willkürakt sprechen, die diesen Zusammenschluß ungeschehen machen möchten. Deutsch? Ja, aber nicht württembergisch, so klagen viele Badener. Vom Allgäu, dem Bodensee entlang und dann weiter dem Rhein bis Basel folgend und von Deutschlands „Schicksalsstrom" als Westgrenze bis Karlsruhe begleitet – der Nachbar ist Frankreich – schließlich vorbei an Rheinland-Pfalz bis Mannheim, von dort ostwärts zum Taubergrund (wo die Tauber in den Main mündet) und wieder nach Süden, mit Bayern als Ostgrenze – ein stattliches Stück Deutschland. Barock, Obst und üppige Blütengärten markieren das Land um den Bodensee. Die Westhänge der Rheinebene sind Heimat so berühmter Weine wie Markgräfler, Breisacher, Kaiserstühler oder Ortenauer. Auch bedeutende Obstanbaugebiete sind dort zu Hause: Bühler Zwetschgen, Kirschen, Nüsse, Äpfel und Birnen. Und Spargeln: Steinenstadt, Opfingen, Schwetzingen. Landwirtschaft auch im Neckarbecken, dazu reichlich Industrie. Karg dagegen die Schwäbische Alb, fast abweisend, mit einem nur schwer zugänglichen Menschenschlag. Das Land zwischen Ulm und Stuttgart wiederum Heimat bedeutender Industriezweige: Mercedes und Magirus, Bosch, Märklin, WMF, SEL, Hengstenberg und viele andere mehr.

Namen, die auf jedem Börsenzettel auftauchen, entdeckt man auf einer Fahrt durch dieses reiche Land. Die Hauptstadt Stuttgart will trotz vieler Bemühungen nie so recht Großstadt werden. Großstadt mit jenen Attributen von High-life und Leichtigkeit. Gut essen und gut trinken gibt es genug, und viele fleißige Menschen. Dazu eine reizvolle Umgebung. Doch den Schwaben fehlt zu sehr der Hang zum „Bruder Leichtfuß". Weltläufigkeit nur, soweit sie mit geschäftlichen Kontakten dieses reisefreudigen Volksstammes zu vereinbaren ist. Doch mehr nicht.

Da lebt im Oberland, am Bodensee schon ein anderer Schlag. Heiter, gelassen, lebensfroh, allem Diesseitigen freudig zugetan. Ein weinseliger Landstrich, wie geschaffen für Urlaub. Alle Dörfer und Städte leben von Mai bis in den Herbst hinein mehr oder weniger vom Fremdenverkehr. Kenner wissen die oftmals äußerlich recht unscheinbaren Restaurants und Weinstuben zu schätzen. Dort ist noch Gastlichkeit daheim. Gastlichkeit auch in der Rheinebene – Bad Bellingen, Badenweiler, Bad Krozingen und Baden-Baden – gepaart mit Heilquellen. Und droben im Schwarzwald haben sich Berggasthöfe längst zu Nobelherbergen gemausert, seit Generationen in Familienbesitz, voller Tradition. Freibaden im Tal und Skilaufen auf der

Höhe, alles an einem Tag, in diesem gottgesegneten Land ist es möglich. Dazu eine Küche, die von Frankreich und von der Schweiz, von Österreich und aller Internationalität einen guten Schuß mitbekommen hat. Hier läßt sich's gut sein.

Hessen

Seite 120 – 139

Der Odenwald mit Bergstraße und dem Land davor bis hin zum Rhein, das untere Maintal, Taunus und Ausläufer des Westerwaldes, das Hessische Bergland mit Vogelsberg und Rhön, das Land zwischen Werra und Fulda, Eder und Diemel – das alles zusammen ist das Bundesland Hessen. Außerhalb der Städte hat das Land fast etwas unberührtes: sanft gewellt, Fachwerkhäuser, kleine, freundliche Dörfer, Obst, Wiesen und Flußtäler. Rüdesheim, „Rummelplatz der Nation" mit der berühmten Drosselgasse, gehört ebenfalls zu Hessen. Weinseligkeit, bis zur Perfektion kommerzialisiert.

Gelassener, vornehmer, stiller die Kurorte Wildungen, Hersfeld, Salzschlirf, Nauheim, Salzhausen, Soden, Orb, Homburg, Schwalbach oder (zugleich Landeshauptstadt) Wiesbaden. Dienstleistung für Gesundheit und Erholung allüberall. Eingebettet die Orte in Wein- und Bauernland, mit „hohem Freizeitwert".

Doch dann Frankfurt, amerikanischste aller deutschen Städte. Nirgendwo blüht der Handel so wie gerade hier. Große Konzerne haben ihre Verwaltungen in die Rhein-Main-Stadt verlegt. Ein Glas-Beton-Koloß neben dem anderen. Hektik, so weit man blickt. Bei Tag und bei Nacht. Das Stückchen Alt-Frankfurt an der Hauptwache, mühsam wieder zurecht gepäppelt, und das bißchen Sachsenhausen mit den „Äppelwoi-Kneipen" – gut gemeinte Erinnerungen, mehr nicht. Business wie kaum anderswo, hart, unerbittlich.

Eine Stadt, die sich immer mehr entvölkert, auf Kosten neuer Industrie- und Verwaltungsbauten. Bis zu hundert Kilometer weit kommen sie täglich in dieses deutsche Industrie- und Handelszentrum, mit Bahn, Bus oder Wagen. Dazu der funkelnagelneue Mammutflughafen „Rhein-Main", der jährlich bis zu dreißig Millionen Passagiere, an- und abreisende, abfertigen kann.

Das nun ist die Stadt, in der Goethe geboren wurde. Hier steht die Paulskirche. Ältere Frankfurter wenden sich kopfschüttelnd ab, sie kennen ihre Stadt nicht mehr wieder. Und die Stadt hat für sie kaum noch Platz. Auf dem Weg in eine „bessere Zukunft" wird den Bewohnern manchmal die Gegenwart fast vergällt.

Zum Großraum Frankfurt gehören Hanau (Gold- und Silberwaren, Gummiwerke, Diamantschleifereien, Holzindustrie), Offenbach (Lederwaren, Schriftgießereien, Metallverarbeitung). Hessisch ist auch die alte Bischofsstadt Fulda, in deren Dom Bonifatius, Apostel der Deutschen, begraben liegt (754 erschlagen). Hessisch ist auch Kassel, wo das denkwürdige Treffen von Brandt und Stoph stattfand, auf Schloß Wilhelmshöhe, draußen vor der Stadt. Als eine der schönsten Städte Hessens gilt Alsfeld am Vogelsberg: das Fachwerk-Rathaus mit Türmen und Türmchen, mit Giebeln und Erkerchen, auf ein Arkadenfundament gesetzt, ist Prunkstück des prächtigen Marktplatzes.

Hessisch sind aber auch die halbzerfallenen Burgruinen auf den Bergen am Rheinufer.

Rheinland-Pfalz

Seite 140 – 155

Angenommen, es gelte, mit einem einzigen Begriff das Besondere an Rheinland-Pfalz herauszuheben, so wäre es vielleicht dieses: das einzige deutsche Bundesland, das einen Weinbauminister hat. Und das nicht ohne Grund. Denn immerhin 70 Prozent der gesamten Wein-Anbaufläche in der Bundesrepublik stellt Rheinland-Pfalz. Und gar 80 Prozent der gesamten deutschen Weinernte kommen von hier. Die „Deutsche Weinstraße" der Pfalz, die Hänge an Nahe, Mosel, Ahr und Ruwer, der Rheingau und das Mittelrheingebiet sind Deutschlands Weinstube Nummer eins. Mit Namen von Rang und Klang, jedem Weinkenner geläufig.

Hauptstadt des Landes und auch des deutschen Weinhandels ist das altehrwürdige Mainz, schon im Jahre 1254

Sitz des Rheinhessischen Städtebundes. Die Bischofsstadt ist nicht nur eine der Karnevals-Hochburgen („Mainz wie es singt und lacht“ und „Mainz bleibt Mainz“), auch namhafte Sektkellereien sind hier ansässig. Und seit Kriegsende eine Universität. Der romanische Dom geht in seinen Ursprüngen auf das 13. Jahrhundert zurück. Gutenberg schließlich erfand hier die Buchdruckerkunst.

Zweite „geschichtsträchtige“ Stadt ist Speyer, einstmals Tagungsort von 50 Reichstagen und von 1527 bis 1689 Sitz des Reichskammergerichts. Der romanische Dom stammt aus dem 11. Jahrhundert.

Koblenz am Zusammenfluß von Mosel und Rhein wurde im Jahre neun nach Christus gegründet, ebenso wie Trier (Porta Nigra, Amphitheater, Basilika, Kaiserthermen) durch die Römer. Vom 3. bis 5. Jahrhundert war die Stadt kaiserliche Residenz.

Schmuckkästchen des Landes ist die Edelsteinstadt Idar-Oberstein. Nicht weit davon entfernt das Radium-Solbad Kreuznach mit seiner Lehr- und Forschungsanstalt für Wein- und Obstbau. Bad Neuenahr schließlich (Spielbank) wird seiner heilsamen Thermen (36 Grad Celsius) wegen von Zucker-, Gicht- und Gallenleidenden aufgesucht. In der Eifel, am nordwestlichsten Zipfel des Landes, werden seit 1927 alljährlich auf dem Nürburgring (28,3 km lang) internationale Rennen ausgetragen.

Bad Ems, das Staatsbad an der Lahn (kurz vor der Einmündung in den Rhein) erlangte durch die „Emser Depesche“ historischen Weltruf. Das war geschehen: Bismarck hatte 1870 ein Telegramm Wilhelms I. von Preußen, das dieser aus Bad Ems gesandt hatte, in verkürzter Form veröffentlicht. Es ging dabei um die Ablehnung der französischen Forderung zur spanischen Thronkandidatur. Durch die unvollständige Veröffentlichung des Telegramms wurde der Sinn entstellt, und Frankreich erklärte den Krieg.

In der Neujahrsnacht 1813/14 überschritt Blücher bei der „Pfalz“ von Kaub den Rhein, französischen Heeren auf den Fersen. Ein Stück rheinabwärts, bei St. Goar, grüßt der Lorelei-Felsen die vorbeifahrenden Touristenschiffe (unter den Klängen von Heines „Ich weiß nicht was soll es bedeuten . . .“).

Saarland

Seite 156–159

Am 1. Januar 1957 kam das Saarland als zehntes Bundesland in die Bundesrepublik. Als wichtiges Industriegebiet jahrzehntelang Streitobjekt zwischen Frankreich und Deutschland. Im Versailler Vertrag war bestimmt worden: von 1920 an kommt das Land 15 Jahre unter Verwaltung des Völkerbundes, die Kohlengruben wurden von Frankreich verwaltet und ausgebeutet. Die Volksabstimmung 1935 ergab: 90,5 Prozent der Saarländer wollten „heim ins Reich“. Nach dem zweiten Weltkrieg wurde das Saarland durch Verordnung der französischen Militärregierung eine eigene Verwaltungseinheit mit eigenen Grenzen. Damit konnte Frankreich sein lothringisches Minette-Erz günstig verarbeiten. 1948 kam die Währungs- und Zollunion mit Frankreich und zwei Jahre später das Kohlenpacht-Abkommen. Beides wurde 1955 mit Zweidrittelmehrheit von der Bevölkerung abgelehnt, das Land fiel an die Bundesrepublik zurück.

Der jahrzehntelange französische Einfluß hat seine deutlichen Spuren im Lande hinterlassen. Nicht zuletzt in der saarländischen Küche, was sich wiederum im Angebot der Geschäfte niederschlägt. Noch mehr ist anders als sonst in Industriegebieten. Der saarländische Bergmann und Industriearbeiter ist fast immer noch Kleinlandwirt. Seine Beziehung zum „flachen Lande“ ist noch ungleich stärker als anderswo. So hat die Landschaft an der Saar eher Züge einer bäuerlichen Gegend, trotz aller Essen und Schlote. Saarbrücken, die Hauptstadt des Landes, hat alle Anstrengungen gemacht, sich modern zu geben. Völklingen ist wichtiges Industriezentrum — Hüttenwerke, Großkokerei, Kraftwerke. Aus dem Kloster Mettlach ging im Laufe von Jahrzehnten ein Keramik-Zentrum hervor. Die Arbeiter siedelten sich nach und nach um den alten Klosterbau an. Aus Siersburg kommen wichtige Stahlkonstruktionen, vor allem für die Bauindustrie, und in Dillingen hat sich viel Schwerindustrie angesiedelt. Dennoch: das Saarland eignet sich auch ganz vorzüglich als Urlaubsgebiet. Kenner wissen das längst. Doch sie reden nicht gern darüber.

Nordrhein-Westfalen

Seite 160–183

Die Entstehung dieses Bundeslandes läßt sich leicht aus dem Wappen herauslesen: im linken Feld der Rhein, im rechten das Westfalen-Roß, und in der Spitze die lippische Rose. Teile der ehemaligen preußischen Rheinprovinz, die Provinz Westfalen und das Land Lippe wurden nach dem Krieg zu Nordrhein-Westfalen zusammengeschlossen. Im Nordosten der Teutoburger Wald, im Süden das Siebengebirge, im Südosten Sauerland und Rothaargebirge, im Südwesten die Eifel und im Westen das Hohe Venn umschließen Deutschlands größtes und wichtigstes Industriegebiet — das Ruhrgebiet.

Nur Ortsschilder sagen dem Unkundigen in diesem Gewirr von Hochöfen, Zechen, Siedlungen, Wohnblocks und Fabrikanlagen, wo Oberhausen, Dortmund, Essen, Wuppertal, Mülheim, Gelsenkirchen oder Duisburg aufhören oder beginnen. Dennoch: das Ruhrgebiet ist keinesfalls eine einzige Staubwüste. Der Gruga-Park von Essen wäre sogar Zierde eines jeden Kurorts Das Gebiet um den Baldeney-See läßt die Nähe von Hochöfen und Zechen vergessen. Und die vielen Anlagen am Rhein, die Königsallee von Düsseldorf („Kö" genannt), sind elegant, gepflegt, sehenswert.

In diesem gigantischen Industriegebiet leben jene Menschen, denen ein Jürgen von Manger seine ganze Aufmerksamkeit gewidmet hat: Kumpel Anton und Herr Tegtmeier. Ein gutes Glas Bier — Brauereien gibt es ja genügend, ein Schlag mit Brieftauben, irgendwo draußen das kleine Gärtchen und an den Wochenenden nichts wie raus — das sind sie, diese liebenswerten Typen. Schlagfertig, manchmal skurill, mit dem Schriftdeutschen oft ein wenig auf Kriegsfuß stehend. Aus dem Raume Lage, Lemgo und Detmold kommen Möbel; Aachen ist Deutschlands Tuchstadt, und auch Schokolade und die berühmten Printen kommen von hier. Düsseldorf hat Stahl- und Walzwerke, Nahrungs- und Genußmittelindustrie, ist führender Waschmittel-Erzeuger. Die Altstadt mit ihren unzähligen gemütlichen Kneipen hat beinahe rund um die Uhr Betrieb. Münster, am Dortmund-Ems-Kanal, ist „historischer Boden". Hier wurde 1648 mit dem Westfälischen Frieden der Dreißigjährige Krieg beendet. Warendorf an der Ems hat seinen Namen durch das Westfälische Landesgestüt bekanntgemacht; hier hat das Olympische Reiterkomitee seinen Sitz. Und aus Bünde kommen bekannte Zigarrensorten.

Die weiten Ebenen des Niederrhein-Gebietes mit den typischen Bauernhäusern bei Xanten (gotischer Dom, 15./16. Jh., römisches Amphitheater), bei Kleve oder Wesel (Schinkels Denkmal der elf Schill'schen Offiziere) haben wieder ganz anderen Charakter als etwa die romantische Rheinlandschaft beim Drachenfels.

Geschäftigkeit und Beschaulichkeit liegen dicht beisammen. Wasserburgen am Niederrhein, riesige Bauernhöfe, wie Schlösser inmitten des Besitzes gelegen, Windmühlen, Pferdekoppeln, die Täler von Lippe und Ruhr, von Sieg und Ems unterbrechen wohltuend die Silhouetten der Fabriken und Zechen. Zwei Welten, die miteinander auskommen (müssen).

Niedersachsen

Seite 184–203

Im Süden an Hessen und Nordrhein-Westfalen, im Westen an Holland angrenzend, umfaßt Niedersachsen auch das Gebiet von Ostfriesland und reicht bis an die Elbe mit Hamburg und Schleswig-Holstein. Mit anderen Worten: Niedersachsen umschließt das Gebiet der ehemals preußischen Provinz Hannover, Oldenburgs, Braunschweigs und Schaumburg-Lippes. Bestimmen im Süden Fachwerkhäuser das Landschaftsbild, sind es in der Gegend um Cloppenburg etwa die typischen „Niedersachsenhäuser" mit den gekreuzten Pferdeköpfen am Giebel, so gehören zu Ostfriesland die Katen an der Küste und die Backsteinhäuser der Bauern, wahre Herrensitze, etwas landein. Niedersachsen ist abwechslungsreich wie selten ein Bundesland: der Harz mit seinen nach Norden und Westen steilabfallenden, bewaldeten Bergen; die Weite der Lüneburger Heide; Ostfrieslands fruchtbares Küstengebiet; Häfen wie Emden, Wilhelmshaven, Cuxhaven; die Fischereiplätze Karolinensiel, Bensersiel, Neuharlingersiel; die ostfriesischen Inseln Borkum, Juist, Norderney, Baltrum, Langeoog, Spiekeroog, Wangerooge, jeden Sommer und neuerdings auch manche schon im Winter Ziel von Hunderttausenden; und schließlich die Fördertürme (Erdöl) im Emsland.

Im „Alten Land" bei Harburg-Buxtehude-Stade lockt die Baumblüte jedes Frühjahr Besucher in den Obstgarten Niedersachsens. Katenschinken, geräucherter Aal, Schwarzbrot und Korn, damit warten alle Ausflugslokale hier auf. Wolfsburg, die „Stadt aus der Retorte" ist Heimat des Volkswagens. Die Landeshauptstadt Hannover hat nicht nur Tradition, sie ist auch bedeutende Industriestadt: Gummi, Nahrungsmittel, Fahrzeuge, Chemie. So mag es nicht von ungefähr kommen, daß hier alljährlich die wichtigste Industrie-Messe Europas veranstaltet wird, Deutschlands „technisches Schaufenster".

Traditionsreich auch Goslar (Kaiserpfalz, gotische und barocke Bauten) Hildesheim (romanischer Mariendom, an die 200 Fachwerkhäuser) oder Hameln (Rattenfängerstadt, alte Bauten, Mühlen), wie vieles in Niedersachsen. Hannover wurde 1692 Kurfürstentum, 1714—1837 Personalunion mit Großbritannien, war 1814 bis 1866 Königreich und wurde dann preußische Provinz. Als Reiterstadt (Pferdezucht, Turniere) besitzt Verden an der Aller ein Pferdemuseum. Sehenswert auch der Dom (11. bis 15. Jh.) und eine Sammlung von Steinzeitfunden. Braunschweig schließlich, einstmals Mitglied der Hanse, verdankt seinen Reichtum der Lage an der früheren West-Ost-Handelsstraße. Noch annähernd hundert Fachwerkhäuser (15. bis 18. Jh.) der Dom mit dem Grab Heinrichs des Löwen sind erhalten.

Niedersachsen ist im wesentlichen ein Land, das von Ackerbau und Viehzucht lebt, daneben auch von der Schiffahrt und der Fischerei. In der neueren Zeit wurde damit begonnen, Bodenschätze wie Kali, Salz, Braunkohle, Eisenerz und Erdöl auszubeuten. Die Industrie konzentriert sich nur auf einige Zentren um die Großstädte.

Bremen

Seite 204 – 206

Was Flächenausdehnung (405 qkm) und die Einwohnerzahl anlangt, ist das „Land Bremen" das weitaus kleinste deutsche Bundesland. Doch keinesfalls das unbedeutendste. Die Stadt wurde bereits 787 Bischofssitz und 845 gar Erzbistum. 120 Jahre später erhielt sie Marktrecht und trat 1258 dem Bund der Hanse bei. Im Jahre 1646 schließlich wurde sie Freie Reichsstadt.

Von Bremen ging die Bekehrung des norddeutschen Raumes aus. Ein selbstbewußtes Kaufherrentum schuf kulturhistorische Werte, zu denen das Rathaus mit seiner Renaissancefassade gehören (davor hält Roland, der steinerne Riese, Wacht). Als zweitgrößter Seehafen und wichtiger Binnenhafen geht ein gewaltiger Teil des gesamten deutschen Warenumschlags über Bremen. Tabake aus Übersee, Baumwolle (Baumwollbörse), Holz, Getreide und viel Stückgut. Tabak wird in der Stadt gleich verarbeitet, und natürlich auch Kaffee und Tee (ostfriesische Qualitäten kommen hierher). Schiffswerften, Weinimporte, Silberwarenerzeugnisse, Maschinenfabriken und Spinnereien sind bedeutende Wirtschaftsfaktoren. Das Institut für Seeschiffahrt und die Seefahrtschule sorgen für Forschung und Ausbildung auf diesem für Bremen lebenswichtigen Gebiet: der Seeschiffahrt.

Weserabwärts, an der Mündung in die Nordsee, liegt Bremerhaven, Europas führender Fischereihafen, daneben größter deutscher Passagier- und damit auch Auswandererhafen. Viele Überseeschiffe, die die Weser nicht passieren können, legen schon hier an. Berühmtester Liegeplatz: die Kolumbuskaje. Erst eine Hafenrundfahrt vermittelt den richtigen Eindruck von den gigantischen Ausmaßen der Hafenanlage: riesige Auktionshallen, Konservenfabriken, Fischmühlen (für Futterzwecke) und Kontore. Alljährlich zu Beginn des Heringsfangs ist die ganze Stadt auf den Beinen, beim „Heringsfest". Im übrigen ist Bremerhaven eine „richtige" Hafenstadt: mit Kneipen, straßenzügeweise Haus an Haus, mit den dazugehörigen „Seemannsbräuten" und mit Besuchern aus aller Welt.

Schön? Das ist Geschmackssache, vor allem, wenn man erst Bremen gesehen. Eindrucksvoll aber auf alle Fälle.

Wie sehr Bremen und Bremerhaven von und mit dem Meer leben, sieht man an den Zeitungen und hört aus den Gesprächen der Bewohner: wann Schiffe kommen, was sie geladen haben und wann sie wieder auslaufen, das ist das Tagesgespräch.

Hamburg

Seite 207–209

Bundesdeutschlands größte Stadt ist zugleich ihr zweitkleinstes Land: die Freie und Hansestadt Hamburg. Obwohl über 100 km von der Nordsee entfernt, ist sie dennoch Deutschlands größter See- und Binnenschiffhafen. Ozeanriesen kommen bis mitten in die Stadt gefahren, zur Überseebrücke oder in den Freihafen. Letzterer hat die Ausmaße einer mittleren Kleinstadt. Das ganze Gelände gilt als Zollausland, in den riesigen Schuppen lagern Waren aus aller Welt.

Aus der alten Hammaburg ist die Stadt wohl hervorgegangen. Im Jahre 831 schon wurde sie Bistum und drei Jahre später Erzbistum. Der Vertrag von 1241 zum gegenseitigen Schutz mit Lübeck bildete die Grundlage der späteren Hanse. Die Rechte einer Freien Stadt erhielt Hamburg 1510, und 1937 entstand der „Großraum Hamburg" durch verschiedene Eingemeindungen. Mit der HAPAG (Hamburg-Amerikanische Paketfahrt-AG) besaß die Stadt im Jahre 1914 die größte Reederei der Welt. Heute unterhalten alle wichtigen Schiffahrtsgesellschaften Vertretungen an der Elbe, und Schiffe aus aller Welt und überallhin berühren diesen Hafen. „Tor zur Welt" sagen die einen, „Deutschlands Lieferanten-Eingang" die anderen. Beides ist richtig.

Daneben verfügt Hamburg über beachtliche Industrie-Unternehmen: Fischkonserven, Tabakwaren, Mühlen, Maschinenbau, Nahrungsmittel und natürlich Werften (Stülcken, Blohm und Voß). So zählt die Hansestadt zu den reichen Bundesländern. Entsprechend großzügig sind hier die Ausgaben der öffentlichen Hand: für Schulen, Krankenhäuser, Straßen, Verkehrsmittel und Anlagen. Dennoch verlassen immer mehr Hamburger ihre Stadt und ziehen in die Randbezirke. Nicht ganz freiwillig. Vielmehr verdrängt durch den Bau von Verwaltungsgebäuden, Geschäftszentren und Industrieanlagen. Hamburgs Innenstadt ist nach 19 Uhr öde, alles drängt in die Wohnbezirke hinaus, teilweise bis weit in die Lüneburger Heide oder ins Alte Land.

Nur ein Viertel wird dann lebendig: die Reeperbahn auf St. Pauli, die „sündigste Meile der Welt". Billiger Sex, Nepp und zweifelhafte Existenzen bilden eine Mischung — „Ruch der Sünde" — die viele anzieht. Und manchen (finanziell) auszieht. Die Umgebung der Stadt ist reizvoll: der Sachsenwald (Schloß Friedrichsruhe, Bismarcks letzte Ruhestätte) im Osten, Vierlanden, die DDR-Grenze bei Lauenburg, die Heide, das Alte Land und die Holsteinischen Seen sowie die Ostsee. Elbabwärts liegt „Willkommhöft", eine Schiffs-Begrüßungs-Anlage. Alle ein- und auslaufenden Schiffe werden hier mit Nationalflagge und -Hymne begrüßt. Hier erfährt der Binnenländer, wer und was alles nach Hamburg kommt.

Schleswig-Holstein

Seite 210–231

Deutschlands Brücke nach Skandinavien ist Schleswig-Holstein. Im Westen die Nordsee, im Osten die Ostsee, grenzt der schmale Landstrich im Norden an Dänemark. „Brückenkopf" im Süden sind Hamburg und Niedersachsen. Schleswig-Holstein ist das einzige „Bindestrich-Bundesland" mit Tradition. Bereits 1386 vereinigten sich das Herzogtum Schleswig und die Grafschaft (ab 1474 ebenfalls Herzogtum) Holstein.

Beide Küstenstreifen und die vorgelagerten Inseln im Westen haben sich dem Fremdenverkehr verschrieben: Sylt, Amrum, Husum, Büsum auf der einen und Travemünde, Timmendorf, Fehmarn, Eckernförde, Glücksburg auf der anderen Seite. Doch Ackerbau und Viehzucht spielen ebenfalls eine wichtige Rolle. Und natürlich Fischfang und Küstenschiffahrt. Der Nord-Ostsee-Kanal durchschneidet das Land zwischen Kiel und Brunsbüttelkoog, wichtige Schiffahrtsstraße, 99 km lang und etwa 100 m breit. Meistbefahrener Kanal der Welt. Bei Rendsburg überquert die Eisenbahn auf 42 m hoher Brücke den Kanal, während der Straßenverkehr durch den neuen Tunnel unten durch rollt. Die Förden bei Flensburg, Schleswig, Eckernförde und Lübeck sind ideale Häfen für Fischer und Schiffe. Hier befinden sich Werften und Anlagen für Fischverwertung sowie die wichtigsten Industriebetriebe des Landes.

Schleswig, Fischereihafen an der Schlei, besitzt in seinem gotischen Dom (1268—1711) den berühmten Bordesholmer Altar von Meister Hans Brüggemann. Beachtliche Funde aus der Vorzeit, aber auch allerlei Besonderheiten späterer Epochen werden im Museum von Schloß Gottorp aufbewahrt. Zwischen Kiel und der Lübecker Bucht heißt das seendurchzogene Hügelland „Holsteinische Schweiz". Die wichtigsten Orte: Plön, Malente und Eutin. Hier lebte einst Carl Maria von Weber. Heide gehörte einstmals zur selbständigen Bauernrepublik Dithmarschen. Heute befindet sich dort eine große Erdölraffinerie. In Husum, der „grauen Stadt am Meer", wuchs Theodor Storm auf. Kiel, die Landeshauptstadt, ist alljährlich Austragungsort der traditionellen „Kieler Woche", einer berühmten Segelregatta mit kulturellem Rahmenprogramm. 1972 fanden hier die Segelwettbewerbe der XX. Olympischen Spiele statt. Die Sommerfrischler und Wintergäste haben im Land zwischen den Meeren eine ganze Menge zu schauen: die Schiffe draußen und in den Häfen, die Sandstrände mit ihrem bunten Treiben, das berühmte schwarzgefleckte Vieh, die alten Trachten von Wyk auf Föhr, Schloß Glücksburg, das sich im umliegenden Wasser spiegelt, alte Wehrkirchen überall, Windmühlen, stattliche Bauerngüter und die niedrigen Fischerhäuser. Das touristische Angebot wird von Jahr zu Jahr erweitert: komfortablere Unterkünfte, noch mehr Hallenbäder, Kureinrichtungen, Unterhaltungsprogramme. Doch nicht weniger gefragt sind die typischen und traditionellen Erzeugnisse des Landes: Lübecker Marzipan, Flensburger Rum und andere scharfe Schnäpse („Klare"), Kieler Sprotten, geräucherter Aal und allerlei Fischspezialitäten, wie man sie auch in kleinen Landgasthöfen vorgesetzt bekommt. Und natürlich der abendliche „Klönsnack" in einer Fischerkneipe.

Berlin

Seite 232–235

Ehemalige Reichshauptstadt, Sitz der Regierungen zweier Reiche, in dieser Rolle gewann das alte Berlin Weltgeltung. Das Inferno der letzten Wochen des zweiten Weltkrieges zerschlug vieles von dem, was einstmals die Größe dieser Metropole ausgemacht hatte. Geblieben sind mehr als drei Millionen Menschen, die ihre Rechte auf friedliches Beieinander, auf Vergnügen und Zerstreuung anmelden.

Im Juli 1945 wurde Berlin von den Siegermächten in vier Besatzungssektoren aufgeteilt. Die Vier-Sektoren-Stadt unterstand fortan der obersten Staatsgewalt in Deutschland, dem Alliierten Kontrollrat. Zunächst übernahmen die vier Stadtkommandanten als „Interalliierte Kommandantur" die Verwaltung und übertrugen einen Großteil der damit anfallenden Aufgaben dem deutschen Magistrat. Berlin – eine Einheit. Doch Gegensätze unter den Siegermächten erwiesen sich als zu tief, um diese Einheit auf die Dauer garantieren zu können.

So kam es im Juni 1948 (Währungsreform) zu einer Spaltung des politischen Lebens und der Verwaltung der Stadt, zur Blockade Berlins. Bis zum Mai 1949 waren die wichtigen Zugangswege gesperrt, der Nachschub mit dem Nötigsten erfolgte durch die alliierte Luftbrücke. Sinn dieser Blockade sollte sein, die Westmächte zur Aufgabe ihrer Sektoren zu veranlassen. Der östliche Teil der Stadt wurde in die 1949 gegründete DDR eingegliedert, West-Berlin dagegen in das Rechts-, Wirtschafts- und Finanzsystem der Bundesrepublik Deutschland verflochten und erlebte mit dieser einen wirtschaftlichen Aufschwung.

Am 13. August 1961 schließlich kam es zum Bau der Mauer. Damit war die Spaltung Berlins zunächst besiegelt. Erst das Viermächte-Abkommen vom 3. September 1971 hat die Isolierung überwunden und den West-Berlinern den Weg zum Ostteil der Stadt und in die DDR wieder geöffnet.
Zwei Machtblöcke mit unterschiedlicher Gesellschaftsordnung suchen ihr Selbstverständnis in dieser Stadt zu dokumentieren. West-Berlin ist in seiner Lebensfähigkeit nicht beeinträchtigt; es ist voll in das Wirtschafts- und Finanzsystem des Bundes integriert. Die Rechts-Einheit zwischen Berlin und der Bundesregierung ist gewährleistet. Alle bestehenden Bindungen genannter Art werden durch das Viermächte-Abkommen von 1971 bestätigt. Darüber hinaus garantiert es den ungehinderten Verkehr auf den Zugangswegen nach Berlin: derzeit drei Luftkorridore, acht Bahnlinien, fünf Straßen und zwei Wasserwege. Der neutrale Beobachter muß – unvoreingenommen – anerkennen: auf beiden Seiten wurde viel geleistet. Vieles Gute und manches, das noch einmal überdacht werden sollte. Die Leistungen der Wirtschaft dieser Stadt, beiderseits der Mauer, und die der Kultur sind beachtlich.
Berliner Humor, Schlagfertigkeit und Lebensart – sie sind immer noch diesseits und jenseits der Mauer zu Hause. Nicht zuletzt damit haben die Berliner all die Jahre der doppelten Währung, der Blockade und des Hin- und-Hergeworfen-Seins zwischen zwei Machtblöcken heil überstanden.

Die Deutsche Demokratische Republik

Pages 236–263

Die Westgrenze des „Anderen Deutschland“ – Deutsche Demokratische Republik genannt – verläuft von der Ostseeküste bei Lübeck südlich bis zur Elbe zur schleswigholsteinischen Stadt Lauenburg (Grenzübergang) und geht dann weiter nach Süden, erst an Niedersachsen und später an Hessen entlang. Im Süden berührt sie Nordbayern und bei Hof die tschechoslowakische Staatsgrenze, um dann östlich von Dresden scharf nach Norden abzubiegen, erst der Neiße und dann der Oder folgend, bis Stettin. Im Norden schließlich ist es die Ostseeküste mit den vorgelagerten Inseln.

Oder anders ausgedrückt: am 7. Oktober 1949 wurden die fünf Länder Brandenburg, Mecklenburg-Vorpommern, Sachsen, Sachsen-Anhalt und Thüringen zum dezentralisierten Einheitsstaat DDR zusammengeschlossen. Seit 1952 besteht die DDR als zentralisierter Einheitsstaat, gebildet aus den vierzehn Bezirken Potsdam, Cottbus, Frankfurt/Oder (Brandenburg); Rostock, Schwerin Neubrandenburg (Mecklenburg-Vorpommern); Chemnitz, Dresden, Leipzig (Sachsen); Halle, Magdeburg (Sachsen-Anhalt); Erfurt, Gera, Suhl (Thüringen). Sie ist ein sozialistischer Staat deutscher Nation. So steht es im Artikel 1 ihrer Verfassung. Soweit die sachliche und geographische Feststellung.

Als Hauptstadt der DDR wird seit deren Gründung im Jahr 1949 der Ostteil der geteilten Stadt Berlin genannt. Hier befindet sich auch das historische Zentrum der alten Hauptstadt: Das Brandenburger Tor, die Oper, das Zeughaus, der Marstall, das Rote Rathaus, die Schinkelsche Wache, das Ribbeck-Haus, die Hedwigskirche, die Prachtstraße „Unter den Linden“, die Humboldt-Universität, die Museums-Insel mit den weltberühmten Kunst-sammlungen (Pergamon-Altar), der restaurierte ehemalige Gendarmenmarkt, den Adolph Menzel in seinem Gemälde von der „Aufbahrung der Märzgefallenen von 1848" verewigte. Aber auch das „Milljöh" Heinrich Zilles.

Neugestaltet wurde der Alexanderplatz mit seiner Verlängerung zur 120 m breiten Karl-Marx-Allee und zum Leninplatz, und dem Hochhaushotel „Stadt Berlin" mit 35 Stockwerken. Alles überragt vom 361 m hohen Fernsehturm, dem zweithöchsten der Welt.

Daß die „Brüder im Osten" von den Bundesdeutschen immer ein wenig von oben herab angesehen wurden, hat sicherlich keinen politischen Hintergrund. Vielmehr war es stets die Tatsache, daß „die drüben" mit materiellen Gütern nicht so gesegnet waren in den ersten Nachkriegsjahren wie die „reichen Vettern" im Westen mit ihrer freien Marktwirtschaft. Soviel steht jedenfalls fest: nicht die geringere Tüchtigkeit ist Schuld daran, sondern vielleicht die andere Wirtschafts- und Gesellschaftsform, die darauf beruht, daß alle ausschlaggebenden Produktionsmittel Volkseigentum oder genossenschaftliches Eigentum sind. Was besser und was schlechter an beiden Wirtschaftsformen ist, das zu untersuchen, ist Sache von Wirtschaftswissenschaftlern.

Daß der „erste Arbeiter- und Bauernstaat" dennoch wirtschaftlich auf der Höhe ist, das wird alljährlich bei der Leipziger Messe unter Beweis gestellt. Und das beweisen auch die relativ hohen Exportziffern. Und schließlich auch der Lebensstandard der DDR-Bürger, gemessen an dem anderer Ostblockländer. Hier nimmt die DDR eine Sonderstellung ein. Auch das ist eine Tatsache.

Dieses kleine Land mit 108000 qkm und etwas über 17 Millionen Einwohnern nimmt den neunten Rang in der Weltindustrieproduktion ein, den fünften in Europa.

Seit dem Jahre 1961 indes wurde vieles nachgeholt, was bis dahin auf dem Sektor des Wiederaufbaues im Lande selbst vernachlässigt wurde. So wie in der Bundesrepublik neue und Satellitenstädte entstanden, so gibt es auch „drüben" Gegenstücke dazu: etwa Calbe (Eisenhüttenwerk West); Lauchhammer (Braunkohlen-Großkokerei); Rostock (Reutershagen, Lüttenklein und Südstadt; Werftanlagen und Überseehafen); Stralsund (Knieper-Vorstadt; Volkswerft); Eisenhüttenstadt (Eisenhüttenkombinat Ost); Hoyerswerda (Braunkohlenkombinat „Schwarze Pumpe"); Schwedt (Raffinerie); und schließlich noch die Chemiearbeiter-Stadt Halle-Neustadt (Halle-West). Abgesehen von Halle sind alle hier angeführten Trabantenstädte lediglich ausgebaute, bereits vorhandene Ansiedlungen ohne eigene Verwaltung.

Doch für den Besucher aus dem Westen, den „Bruder vom anderen Deutschland", sind die geographischen Gegebenheiten sicherlich interessanter. Über die weiten Sandstrände der Ostsee braucht kein Wort mehr verloren zu werden. Viele kennen sie noch aus eigener Anschauung, anderen sind sie von Bildern her bekannt: Bilderbuchstrände. Weniger bekannt, aber nicht minder reizvoll sind die mecklenburgischen und märkischen Seengebiete, einstmals bevorzugte Ausflugsziele der Berliner.

Da wäre noch der romantische Harz mit dem Brocken, da wäre der Thüringer Wald und das etwas höher gelegene Erzgebirge. Wer hier einmal gewandert oder auf Skiern durchgestreift ist, der kennt den Reiz dieser Gebirge. Eine Mischung aus Schwarzwald und Bayerischem Wald, doch dies nur zur besseren Vorstellung. Und manch ein begeisterter Felskletterer denkt noch mit Wehmut an das Elbsandsteingebirge, nicht weit von Dresden. Bizarr geformte Felsnadeln ragen steil auf, beliebter Klettergarten an den Wochenenden.

Auch Zeugnisse der Vergangenheit werden hier noch voller Sorgfalt bewahrt. Auf der Insel Rügen ist es der Ringwall der wendischen Jaromarsburg beim Kap Arkona. In Görlitz sind es die alten Befestigungen aus der Bronzezeit. Erfurt hat seine Krämerbrücke, Erinnerung an den früheren Ost-West-Handel. Manch altes Bauwerk ist den Kriegswirren zum Opfer gefallen, unwiederbringlich verloren. Doch im Zuge des Wiederaufbaus wurde manches bereits wieder nach alten Plänen hergestellt. Etwa Potsdam, mit dem von Knobelsdorff erbauten Schloß Sanssouci Friedrichs II., dem Neuen Palais und der Orangerie. In Stralsund wurde gleich die gesamte Innenstadt unter Denkmalschutz gestellt.

Die Lutherstadt Wittenberg bietet heute wieder jenes Bild, das sie bereits zur Reformation zeigte. In der gotischen Marienkirche steht das Taufbecken von Lucas Cranach und Hermann Vischer, ein Kunstwerk von Weltgeltung. Geblieben sind auch der prächtige Dom von Quedlinburg (romanischer Ursprung) und das Renaissance-Rathaus. Außerdem viele reichverzierte Bürgerhäuser (niedersächsisches Fachwerk). Das mittelalterliche Schmalkalden hat ebenfalls alles Kriegsgrauen unbeschadet überdauert. Im stark zerstörten Weimar wurden alle jene Stätten von kulturhistorischem Wert – Wirkungsstätten von Goethe, Schiller, Liszt, Cranach, Herder und Wieland – fachgerecht restauriert.

Leipzig nahm wegen seiner Internationalität (Messe) schon immer eine Sonderstellung ein. Doch die übrigen Städte holen auf. Etwa Dresden. Nach den alten Gemälden von Canaletto wurde hier werkgetreue Wiederaufbauarbeit geleistet. Die bedeutenden Sammlungen sind wieder am alten Ort zu bewundern (Grünes Gewölbe, Gemäldegalerie, Porzellansammlung). Um Dresden als Kunststadt besonders hervorzuheben, wurde der modernste Kulturpalast der DDR hier errichtet.

Auch hier können wir uns nur auf einen flüchtigen Streifzug durch Kultur und Landschaften beschränken. Noch vieles wäre anzuführen: die neuen Wohnsiedlungen überall. Die großzügig angelegten Schulen und die gründliche Ausbildung der Jugend. Die ganz hervorragenden Druckerzeugnisse, wahre Kunstwerke, in der ganzen Welt geschätzt (etwa der „Atlas des Großen Kurfürsten" im Nachdruck und andere kulturhistorisch bedeutsame Werke). Die relativ niedrigen Mieten und die akzeptablen Preise für Grundnahrungsmittel.

Über eines sollten alle DDR-Besucher hinwegsehen: über manche politischen Gepflogenheiten, über die manchmal etwas andere Lebensform. Bei allen Gegensätzen sollten wir alle eines nicht vergessen: die Menschen, die hier leben wollen und müssen. „Neues, das aus Altem wächst, indem es überwindet statt zu ignorieren", das ist der bestimmende Aspekt unserer Zeit. Darauf sollten alle bauen.

GERMANY

What is Germany? We have not opened our introduction with this question in order to provoke or trick the reader, but to indicate how difficult it is to find a suitable answer. The historian's reply will be as different from the politician's as the sociologist's from the cultural historian's. The philosopher will perhaps refer to Kant or Hegel, the geographer become pensive, and even the linguist will find it difficult to help us with an answer.

Germany—is it just a figment of the imagination? Wishful thinking on the part of the older generation? A happy delusion, an impossible vision, an illusion, a plaything at the mercy of two power blocks? All in all, this may possibly come closest to the truth. Germany is, if you like, a country which does not really exist any more but which nevertheless comes in for a great deal of criticism and also a tremendous amount of praise. Decried by many as the home of incorrigible nationalists, it is ridiculed by others as the home of incorrigible dreamers.

Let us take a brief glance at the historical facts. The Holy Roman Empire was quite different from the Second Reich, which in its turn was quite unlike the Third Reich. Finally the fateful year of 1945 saw the total collapse of all delusions and led to the division of the territory which had always been referred to as Germany. By a stroke of the pen, as it were, the western section became the Federal Republic of Germany and the eastern section the German Democratic Republic (GDR). Both regimes consider themselves the "trustees of the German idea" and each of the two countries would like to lead people to believe that each is the true home of the "good" German. And they are worlds apart. In this way the Iron Curtain and the Berlin Wall could be regarded as the outward manifestation of something that had been accomplished ideologically and to all intents and purposes a long time before: the division of Germany.

Are a common language and a common history really still sufficient for the reunification so hotly demanded in many quarters? Take the language, for instance. The language used in radio broadcasts and newspapers in the two halves of Germany has not been the same for a long time. The Germans seem to have grown apart linguistically, too. And history? Anybody with any degree of awareness must have noticed that the past has been forced to take a back seat. New criteria and new values are being set up. Already leading positions in both parts of Germany are being filled by young people who have been born since the war and have therefore grown up in a new age whose ideals are consumption, increased productivity, profit, economic power. Nevertheless there are still sufficient people – and is it pure chance that they all belong to the older generation? – who talk about reunification. As if this were the most natural thing in the world. As if all you had to do to achieve what you wanted was to set a particular mechanism in motion. This completely ignores the fact that the course of history is inevitable and can be calculated with mathematical accuracy, subject alone to the dictates of the law of cause and effect.

The two halves of the former Germany have long since taken their leave of one another and long since thrown in their lot with two entirely different blocs. Can a politician really still demand reunification in the light of this? Too many bonds would have to be undone first. And anyone who looks for support from those powers which divided yesterday's Germany up between them is ill-advised and even worse-informed. The thought of a reunified Germany would certainly be almost physically repellent to a Frenchman, Englishman, Russian or American, or in fact any European. Just imagine what this would mean: the combination of the economic potentials of the GDR and the Federal Republic would signify market domination, a world power. And that is just what everybody wants to avoid again – and the majority of Germans doubly so.

The two halves have in any case separated too far already for this. The youth of East Germany lives according to its ideology – toeing the party line, fascinated by the thought of having created the "first socialist worker and farmer state" out of the ruins. And the youth of West Germany prides itself on having dispensed with "dusty ideals". Their goals are a car, a home of their own, and increasing prosperity as is demonstrated by increasingly sophisticated consumer tastes. The fatherland? Nationalism? Rubbish, to be swept under the table. "Live" is the catchword, ideologies are despised by the masses—like everything else that emanates from the older generation. The Federal Republic belongs to the young. "Don't trust anyone over thirty" is one of their slogans.

All this is written without bitterness, irony or sorrow – it is simply a case of the aforementioned law of cause and effect coming into play. It does, however, show quite plainly that with such a background reunification will and can never be possible. What is however possible is that the two Germanys come to some sort of an arrangement. Trade between the two sovereign states, freedom for citizens to visit one another, private contacts, agreements regulating traffic between the two countries – but nothing more.

Let us then go back to our original question: What is Germany? Perhaps we should first define it by saying what it is not: it is not a closed cultural unit; it is not homogeneous as regards customs and traditions; it does not have a defined natural frontier like Britain, France or Italy; it is not even a uniform linguistic area. "Written German" is taught from north to south and from east to west, it is true, but for everyday communication people use more colourful, more vivid and more expressive dialects, which of course vary from area to area. When you listen to them these dialects appear to have very little in common.

Perhaps the only answer we could consider would be that princely ambition for power and political caprice have joined together areas which in reality do not belong together at all. An exploration of this possibility would overstep the narrow limits of this book, however, and will have to be left to history. Perhaps we may be able to stimulate the reader's interest by giving a brief, highly incomplete and sketchy outline of the most important historical events. Germany's historical beginnings are shrouded in the mists of time. Finds exist from the Stone and Iron Ages, from the Bronze Age and other prehistoric ages, but in no case has research been able to furnish us with satisfactory explanations. One thing that is clear, however, is that early Germanic history goes back to about the eighth century before Christ.

It was at the dawn of the Christian era that the Romans pushed forward into the Germanic territories as conquerors and colonizers. In 9 A. D. Arminius defeated the Roman armies under Varus in the Teutoburg Forest. In order to safeguard the "new ground" which they had managed to gain, the Romans built a fortified line, the "Limes", which stretches from about Kelheim in Bavaria to Rheinbrohl, slightly downstream the Rhine from Koblenz. During the time of the great migrations (about 250 A. D.) Germanic empires were founded. West Goths thrust via the Balkans into Italy, southern France and as far as northern Spain. The Vandals reached Africa, the Alemanni, Burgundians and Franks crossed the Rhine, the Angles and Saxons reached Britain and the Langobards settled in Upper Italy. Clovis (466 – 511) established the Kingdom of the Franks, to which Irish monks and St. Boniface brought Christianity. Charlemagne (768 – 814) is regarded as the reviver of the Empire. His successors, however, carved up between themselves the territories which had so laboriously been unified. It was Otto I, "the Great" (936 – 975), who after much warring in Italy established what was later to be designated the "Holy Roman Empire of the German Nation".

With Conrad III (1138 – 1152) the Hohenstaufen family came to the throne of the Empire: Frederick Barbarossa (1152 – 1190), Frederick II (1212 – 1250). From 1274 to 1437 various families controlled destinies, until the Habsburgs rose to power in 1438. The Holy Roman Empire was to stay in this family right until 1806. These were four turbulent centuries, which saw on the one hand the expansion of trade, economic prosperity, the rise of the guilds, and on the other terrible wars, plagues, sieges and pillage.

The Reformation took place while the Habsburgs were on the throne. On 31st October, 1517, the Augustinian monk, Martin Luther (1483 – 1546), nailed his 93 Theses to the door of the castle chapel in Wittenberg, where he was Professor of Theology. Three years later he published his Reformation writings, for which he was outlawed by the Emperor. At the meeting of the Imperial Diet in Worms (1521) he refused to recant; "Here I take my stand, I can do no other; God help me, Amen". Knights of the Elector of Saxony whisked Luther, now outlawed and excommunicated, to safety in Wartburg Castle, where as "Squire Jörg" he translated the New Testament. Back in Wittenberg, he started to build up the Protestant Church against strong opposition from the Emperor and the Pope. It was not until the Imperial Diet met in Augsburg (1530) that this dispute was ended and the Protestant religion provisionally recognised in the Peace of Augsburg (1555). The second important event which took place under the Habsburgs was the Thirty Years' War (1618 to 1648). The princes tried to use the pretext of political and religious differences between Catholics and Protestants to enlarge their power and their territories. The Estates took this favourable opportunity to rise against the absolutism of Ferdinand of Austria. Swedes, Frenchmen, Bohemians, Habsburgs, Bavarians and the Palatinate fought against one another and ravaged the land with pillage and plundering. Was this really all in Christ's name? The Peace of Westphalia recognised the Protestants and the Reformed Church – but by this time one third of Germany's population had been wiped out.

In 1806 Francis II abdicated as Emperor of the Holy Roman Empire. Starting in South Germany the Princes – except those of Prussia, Brunswick, Electoral Hesse and Austria – had joined to form the Confederation of the Rhine, not realising that in so doing they were furthering Napoleon I's cause. This confederation was dissolved with the War of Liberation (1813 – 15). Discontent among the bourgeoisie towards endeavours to re-establish pre-Napoleonic conditions led to the Revolution of 1848. The National Assembly convened in St Paul's Church in Frankfurt. Here the "Little Germany" party prevailed, who were prepared to accept unification without the inclusion of Austria, and Frederick William IV of Prussia was offered the Imperial Crown – which he refused. In 1862 Bismarck became both Prime Minister and Foreign Minister of Prussia. Five years later he took up office as Chancellor of the new North German Federation. After the victory over France in 1870, he succeeded in founding the German Empire anew. In 1871 the King of Prussia was proclaimed German Emperor in the Hall of Mirrors at Versailles. This saw the beginning of a time of peace, prosperity, and complacency for the German Empire. Patriotism, nourished by three victories (1864, 1866 and 1870) became a sort of "national religion". The artisans and bourgeoisie were lulled into smugness. But this period also saw unprecedented industrial expansion, the start of the machine age, and only few recognised that this was the beginning of a new era when many would be uprooted from their traditional way of life.

The 1914 – 18 War shocked Germany – indeed the whole world – out of its provincial tranquillity. Initial enthusiasm for the war as a welcome change from the boredom of satiety soon gave way to the misery of years of starvation and defeat. With so much loss of life in a war on a hitherto unknown scale, resignation set in. The Kaiser abdicated. Revolution, inflation, unemployment, political hatred all provided a seeding-bed – the law of cause and effect – for the Second, even more terrible, World War. The conflagration of 1939 – 45: Hitler's immoderation led to the worst catastrophe in German history. This time the collapse was even greater. Hunger, despair, resignation – and then, the ascent into what is proudly designated the "economic miracle". Only history will tell whether mistakes have been made in this. American aid accounted for a great deal of the success, reparations did not have to be paid immediately, West Germany rose like a phoenix from the ashes.

East Germany's recovery immediately after the war was not quite so meteoric. Here the Soviet Union in particular insisted on reparation obligations being met. Millions had to suffer under this and experience want. But nowadays the East Germans can proudly point to what they have achieved without outside assistance. And a certain modest prosperity is now making itself felt in E. Germany too. Although many Germans do not want to accept this, nevertheless it is true to say that both Germanys, although admired for their achievements in the blocs to which they belong, are by no means universally popular. The Germans' capacity for hard work and their history give rise – who can say whether justifiably or not – to all sorts of fears and set up chains of association in foreigners' minds. Germany will have to live with this. And this alone is good reason to suppose that reunification, leaving aside all ideological differences, is now out of the question.

We hope historians will forgive this incomplete, fragmentary and rather sketchy outline of German history. Our sole intention has been to highlight events of far-reaching consequence which have influenced Germany's development over the centuries. History creates, destroys, joins together and separates in unceasing succession. Mistakes once made, scarcely heeded at the time, can set off a chain of events whose effects are still felt centuries later. Not everybody celebrated in his own lifetime was awarded the title of "statesman" by historians in centuries to follow.

What is Germany? This is the third time that we have asked this question. To be quite honest, don't many Bavarians consider themselves more closely related to neighbouring Austria than to, say, Schleswig-Holstein? Don't the Alemanni get on better with people from Switzerland or Alsace than with people from the Ruhr or Saxony – leaving aside the question of the Berlin Wall and the Iron Curtain for a moment? Or doesn't the Westphalian feel more akin to a Dutchman than a man from Württemberg? And isn't it true to say that the Upper Franks in north-east Bavaria feel closer to the inhabitants of the Thuringian Forest – despite the political and ideological differences – than they do to, say, the East Frisians? It is about 550 miles from Flensburg in the north to Berchtesgaden in the south, and over 370 miles from the Saarland in the west to the Oder in the east. The sea and the Alps, fertile plains and thickly forested central uplands, farming villages and industrial centres – all these are to be found here. The common way of life of the people and the countryside from which they stem forge links between them, but not political opinions or views. The individual peoples were originally bound together by traditions which arose out of common activities and a common means of livelihood. Much of this can still be observed, but a levelling process has already taken place which involved relinquishing some of the past. We are breaking – in many cases unconsciously – with tradition. We are in the midst of a gigantic revolution in which we are encouraged to forget the past and concentrate on the future.

Goethe, Schiller, Hölderlin, Kleist and Eichendorff – all these great writers are regarded as Germans. But from what we hear, in some schools they are nowadays being rejected as "out-of-date". The "Zwinger" in Dresden, the Brandenburg Gate, Cologne Cathedral and Freiburg Minster, the works of Riemenschneider or Dürer, the Wieskirche, the Ludwigstraße in Munich, Rothenburg ob der Tauber – all of these are an expression of the German genius. But an observant person in present-day Germany will have noticed that much of Germany's cultural heritage is abruptly having to give way to the spirit of the times. Steel, glass and concrete, sometimes almost frightening in their monotony, have become symbolic of our age. In both East and West. The increasingly sporadic attempts to restore historical buildings can do little to avert the catastrophe. Our century is characterised by its uniformity, and in achieving this any demand for modernity which is made loudly enough is met without a murmur.

What is Germany then? Everything we have mentioned so far – but also far, far more. Germany is the interminable queues of cars crawling bumper to bumper along the motorways and country roads, especially at the weekend. It is young people who simply reject the world of the older generation out of hand and give voice to their protest through their clothes, their hairstyles, their music and drugs, and unarticulated hatred for anything "traditional". It is two million foreign workers who throng the railway stations in the evening and at the weekend – urgently needed, but only grudgingly accepted as a necessary evil to do jobs the natives don't want to do. It is the old people, who don't understand the world any more; who sit hunched up and almost intimidated on park benches and in pensioners' clubs, misunderstood by the rest of the world and shut away in "senior citizens' homes" by their families. It is the countless country cottages, really relicts of a bygone age, but idylls in our hectic times.

Germany is also the rubbish-dumps and car scrap-heaps outside towns and villages, a menace whose extent had not been foreseen, the penalty of the economic miracle highlighting absolutely insoluble problems. It is also both the students who protest and those who take their studies very seriously, so that they will be able to enjoy the steadily rising level of prosperity as soon as possible. It is all the buildings of cultural and historical importance, centuries old, which are rapidly being pitted and eaten away by exhaust fumes. Germany also includes those who shake their heads at anything new in case it should jolt them out of their personal complacency; it also includes those who think that what young people today need are military discipline, plenty of hard work (with labour service as an alternative to military service), and a firm hand, and who are quick to demand capital punishment for every crime.

Germany is sparsely attended churches, people leaving the church (to avoid paying church tax), radical political groups of all colours, youth movements in both the East and the West – with and without uniforms. It is also the football specials filled to overflowing with flag-waving fans brandishing beer-bottles, chanting slogans and blowing trumpets. Germany is also the overcrowded lecture-rooms in the universities, night-school attenders anxious to improve themselves, hiking clubs which out of pure idealism mark thousands of miles of footpaths for others to follow. It is also the bank raids, the high crime rate in the West and the low one in the East. Germany is also teaching in shifts at many schools and the shortage of teachers; it is blocks of flats all exactly the same from Flensburg to Constance; it is supermarkets, department stores, and slums on the city outskirts. It is increased alcohol consumption and a growing number of neuroses. It is new roads, private chamber music circles, luxury villas and homes for the homeless.

Germany is helpers prepared to work in distant corners of the earth on subsistence pay to bring aid to developing countries; it is the sex wave and the cult of stars with thin little voices – known as pop singers; it is advertising and catchwords; it is the cultivation of sects and folklore. It is museums, allotments, the mini and the grandma look, it is exiles who have long since made their homes here, and it is also hippies, thugs and deviates. Germany – that is everybody and everything in it, not forgetting the gassing of the Jews and the concentration camps. One thing is certain: Germany means something different to every citizen, whether East or West German. Who would presume to assert what is right and what is wrong? Germany is many-sided, super-friendly, complex and indescribably beautiful. The Germans have been put there and will have to live with it, willy-nilly. Montesquieu once said, "Happy is the land whose history is dull". From that point of view, Germany has not been a happy land so far. But perhaps she is now on the road to happiness – who knows?

The Federal Republic of Germany

Bavaria

Pages 57–91

The further north you go in Germany, the more inclined people are simply to regard Bavaria as Germany's holiday playground. This is even more the case abroad, where Bavarian is taken to be synonymous with German conviviality. And many Americans visiting "quaint old Germany" feel themselves obliged to don Tirolean hats like the locals. Even Germans themselves, particularly those right in the north, very often think that all Bavarians do the traditional folk-dances and yodel, clad in leather shorts, the Loden jacket with horn buttons, and sporting a chamois tuft in their hats.

"If that's what they want, let them have it," say the Bavarians – and like the born comedians that they are (combined with a good dash of native cunning) play their parts up to the hilt. That is, insofar as it isn't to their own detriment. Anyone who has ever visited one of the Bavarian tourist centres out of season will know what we mean. Then the "trendy" jackets take over from the much more becoming local costume, and the mini, midi or maxi – depending on the current fashion – replace the far prettier dirndls. Of course people do still yodel, do the traditional dances and play the zither – but nowadays almost exclusively for the benefit of the tourists. The modern age has left its mark on Bavaria too. Times have changed.

In one respect, however, Bavaria does still adhere to tradition – it is the only Land in the Federal Republic which had the same boundaries under the Kaiser and during the Weimar Republic as the "Free State of Bavaria" (as it likes to style itself) has today. Bavaria has had a rich and turbulent history, and few parts of Germany can rival the variety and fame of its cultural heritage. Munich, Germany's "unofficial" capital, is famous as an artistic centre, and the whole Land of Bavaria is world-famous as the home of Baroque art.

Dairy- and stock-farming are the main occupation in the administrative district of Swabia, but tourism is steadily gaining the upper hand here economically, particularly in the Allgäu. It is in this area that the "Romantic Highway" begins at Steingaden, running northwards via Schongau, Landsberg and Augsburg to Donauwörth and from there to Dinkelsbühl and Rothenburg ob der Tauber, and ending in Franconia, well-known for its excellent wines. The Germans perhaps tend to take all this beautiful scenery for granted as it is right on their doorstep, but foreigners go into raptures over it.

Dürer's birthplace, Nuremberg, large sections of which have been lovingly reconstructed, and nearby Fürth are the economic centres of northern Bavaria. And Bamberg with its cathedral, the equestrian statue and the town hall is the cultural centre of Upper Franconia. But the real essence of Bavaria is to be found in Upper Bavaria: the mountains between the Watzmann and the Zugspitze, the lakes glittering in their mountain setting, the stately farmhouses, in short all the picture-book places. But all this is gradually changing. Munich has become an industrial centre and the countryside is being spoilt by the tall blocks of flats which are springing up all over the place, and farming is a dying occupation. A pity, really.

Baden-Württemberg

Pages 92–119

The three Länder of Baden, Württemberg and Hohenzollern were combined to form the Federal Land of Baden-Württemberg on 25th April, 1952. This was decided by a referendum, yet there are still those who protest that this was an arbitrary act and want the union dissolved. "We may be Germans, but we're not Württembergers," say many of the Badeners. Starting in the Allgäu, running along Lake Constance and then following the Rhine as far as Basle, the border then turns north following the course of the Rhine with France as neighbour as far as Karlsruhe, and then the Rhineland-Palatinate as far as Mannheim; from there the border runs eastwards as far as the point where the River Tauber flows into the Main, and then turns south again with Bavaria as its eastern neighbour – a fine piece of territory. Germany. The area round Lake Constance is characterised by Baroque architecture, fruit-growing and luxuriant flower-gardens. The western slopes of the Rhine plain are the home of such famous wines as Markgraf, Breisach, Kaiserstuhl and Ortenau. This area is also important for fruit-growing – Bühl plums, cherries, nuts, apples and pears. And asparagus: from Steinenstadt, Opfingen and Schwetzingen. The Neckar basin is also agriculturally important, with substantial industry as well. The Swabian Jura are very bleak by contrast, almost forbidding, their inhabitants similarly rather unapproachable. The area between Ulm and Stuttgart on the other hand is the home of many important industries: Mercedes and Magirus, Bosch, Märklin, WMF, SEL, Hengstenberg and many more; it can be very interesting going on a voyage of discovery through this rich area, coming across well-known names which appear on any stock-exchange list. The capital, Stuttgart, is not really a city in the true sense of the word, despite many attempts to make it so. It has a ' the amenities for living it up and an easy-going atmosphere; there are plenty of good eating-places there and a lot of industrious people; and on top of all this, the surroundings are charming. But the Swabians themselves don't really incline towards frivolity. Although they are great travellers, they are men-of-the world only insofar as business contacts demand it, but no more.

The people in the mountains near Lake Constance are quite different. Gay, relaxed, happy-go-lucky, with a penchant for all the good things of this world. An area rich in wines and tailormade for holidaymaking. All the villages and towns live more or less on tourism from May till right into the autumn. Gourmets hold the restaurants and wine-taverns of this area in high esteem, even though they often don't inspire confidence from the outside. They still know what hospitality is, here. And there is hospitality in the Rhine plain, too – Bad Bellingen, Badenweiler, Bad Krozingen and Baden-Baden – combined with medicinal springs. And the mountain guesthouses up in the Black Forest have long since been groomed into elegant hotels which have been in the family for generations and are full of tradition. Open-air swimming in the valleys and skiing on the slopes – you can do all this on one and the same day in this area on which Providence has showered her riches. And a marvellous cuisine with a good dash of inspiration from France, Switzerland and Austria – indeed from all over the world. You can really relax and enjoy yourself here.

Hesse

Pages 120 – 139

The Odenwald mountains with the Bergstraße and the land between here and the Rhine, the lower Main valley, the Taunus mountains and fringes of the Westerwald mountains, the Hessian mountains with the Vogelsberg and Rhön ranges, the land between the rivers Werra and Fulda, Eder and Diemel – all this constitutes the Land of Hesse. Outside the towns the countryside is practically unspoilt; half-timbered houses, small, friendly villages, orchards and meadows and river valleys in soft, undulating country. Rüdesheim, the "fun-fair of Germany", with the famous Drosselgasse with all its wine-bars also belongs to Hesse – a love of wine commercialised to perfection.

More composed, more elegant and more peaceful are the spas of Wildungen, Hersfeld, Salzschlirf, Nauheim, Salzhausen, Soden, Orb, Homburg, Schwalbach and Wiesbaden (also capital of the Land). For the promotion of health and relaxation everywhere. These places with their "high leisure value" nestle in the valleys of the wine and agricultural areas.

And then there is Frankfurt, the German city with the greatest American influence. Nowhere does trade flourish as it does here. Large concerns have made this town near the confluence of the Rhine and Main their administrative headquarters. One glass and concrete colossus after another. One mad rush wherever you look. Day and night. The little bit of old Frankfurt of "an der Hauptwache" Square, laboriously pampered back into shape, and the little area of Sachsenhausen with the Appelwoi-Kneipen (cider pubs) – well-meant memorials, but nothing more. Here more than anywhere else business is the driving force, hard and inexorable.

Frankfurt's population is steadily dwindling to give way to new industrial and administrative buildings. The workers commute up to 60 miles a day, by rail, road or bus, to this German industrial and commercial centre. In addition there is the brand new giant Rhine-Main airport, which can handle up to 30 million passengers a year.

But this is also the town where Goethe was born. This is the home of the Paulskirche (St. Paul's Church) where the first German National Assembly was held in 1848. Old inhabitants of Frankfurt shake their heads in sorrow, their city has changed beyond all recognition. And it scarcely has room for them any more. In the interests of a "better future" the present is sometimes almost ruined for the inhabitants.

Greater Frankfurt includes Hanau (gold- and silverware, rubber-works, diamond-cutting, woodworking) and Offenbach (leather goods, type-foundries, metal-working). The old bishop's town of Fulda also belongs to Hesse; it is in the cathedral here that St Boniface, the Apostle of Germany, lies buried (murdered in Friesland in 754). Kassel also belongs to Hesse; it was at the castle of Wilhelmshöhe, just outside the town, that the historic meeting between Brandt and Stoph took place, the first time that leaders of West and East Germany had met in person. Alsfeld, in the Vogelsberg range is one of the most beautiful towns in Hesse; its half-timbered town hall built above arcades, with its turrets and pinnacles, gables and oriels, is the jewel of the magnificent marketplace. The half-ruined castles on the hills along the right bank of the Rhine also belong to Hesse.

Rhineland-Palatinate

Pages 140 – 155

If one were to try to pick out the characteristics peculiar to the Rhineland-Palatinate, then it would perhaps be sufficient to say that it is the only Land in W.Germany which has a Minister of Viticulture. And not without reason. 70% of the land used for viticulture in the Federal Republic is in the Rhineland-Palatinate. And as much as 80% of the total German grape harvest is grown here. The German Wine Highway in the Palatinate, the slopes by the Nahe, Moselle, Ahr and Ruwer rivers, the Rhinegau and the Middle Rhine are Germany's top wine-producing area. The names are illustrious and well-known to every wine connoisseur.

The capital of the Land and also centre of the German wine trade is the ancient and venerable city of Mainz, which was the seat of the Rhine League as early as 1254. This cathedral city is not only one of the main Carnival centres, it is also the home of renowned champagne (Sekt) cellars. And it has had a university again since the end of the war. The Romanesque cathedral dates back to the 13th century. It was in Mainz that Gutenberg invented printing. The second historical city is Speyer, the scene of 50 Imperial Diets and seat of the Supreme Court of the Empire from 1527 to 1689. The Romanesque cathedral dates back to the 11th century.

Koblenz, at the confluence of the Moselle and the Rhine was founded in 9 A.D. by the Romans, as was Trier (Porta Nigra, amphitheatre, basilica, imperial baths). Trier was an imperial residence from the 3rd to the 5th century.

The "jewel-box" of the Land is the jewelry town of Idar-Oberstein. Not far from here is the radium brine spa of Bad Kreuznach, which also has a teaching and research institute for wine- and fruit-growing. Finally Bad Neuenahr with its casino is visited for its medicinal thermal springs (36 °C) by sufferers from diabetes, gout and gall-troubles. In the Eifel massif in the very north-west of the Land lies the Nürburgring, which has been the scene of international car-racing annually since 1927.

Bad Ems, the state spa on the River Lahn (shortly before it flows into the Rhine) has gone down in history as a result of the Ems telegram. This is what happened: in 1870 William I of Prussia sent a telegram from Bad Ems to Bismarck about the rejection of French demands regarding the succession to the Spanish throne. Bismarck published this in an abbreviated form which distorted the meaning, thereby precipitating France's declaration of war.

It was near the "Pfalz" (little castle) near Kaub that Blücher chased the French armies back across the Rhine in New Year's night 1813–14. A little further downstream, near St Goar, the tourist ships glide round the foot of the Lorelev rock to the strains of the famous Loreley song based on a poem by Heine.

Saarland

Pages 156–159

It was on 1st January, 1957, that the Saarland became the tenth Land to join the Federal Republic. Because of its important industries it had for centuries been a bone of contention between France and Germany. The Treaty of Versailles had laid down that for 15 years as from 1920 this area was to be administered by the League of Nations and that the coal-mines were to be run and exploited by France. The plebiscite held in 1935 showed that 90.5% of the Saarlanders wanted to return to the Reich. After the Second World War the French military government decreed that the Saarland should be politically autonomous. This meant that France was able to process its Minette iron-ore from Lorraine cheaply. In 1948 came the Currency and Customs Union with France, and two years later the Mines Agreement. Both these were rejected in 1955 by a two-thirds majority of the population and the territory returned to the Federal Republic.

The decades of French influence are clearly recognisable in this Land, particularly in the cuisine, which in its turn affects the selection of goods on sale in the shops. There are other things too which distinguish the Saarland from other industrial areas. Almost all the miners and industrial workers there are still small landowners too. They have a much stronger bond with the "open country" than workers in other industrial areas. And it is for this reason that the Saarland appears to be more of a rural area despite all the chimneys and smokestacks.

Saarbrücken, as the capital of the Land, has made every attempt to keep up with the times. Völklingen is the most important industrial centre, with iron-works, a large-scale coking plant and power stations. The monastery at Mettlach has over the centuries formed the heart of a ceramics centre, as more and more workers came to settle round the old monastery buildings. Siersburg is important for the manufacture of steel structures, particularly for the building industry, and Dillingen has become important for heavy industry. Despite all this the Saarland is an ideal area for holidays – connoisseurs have known this for a long time, but have kept the tip under their hats.

North Rhine-Westphalia

Pages 160–183

The origin of this Land is clearly shown by its coat-of-arms: in the left field the Rhine, in the right one the Westphalian stallion and at the bottom the Rose of Lippe. Parts of the former Prussian Rhine province, the province of Westphalia and the land of Lippe were united after the war to form North Rhine-Westphalia. In the north-east the heights of the Teutoburg Forest, in the south the mountains of the Siebengebirge, in the south-east the mountains of the Sauerland and the Rothaargebirge, in the south-west the Eifel range and in the west the Hohe Venn mountains enclose Germany's largest and most important industrial area – the Ruhr.

In this maze of blast furnaces, collieries, housing estates, blocks of flats and factories, a stranger would not be able to tell where Oberhausen, Dortmund, Essen, Wuppertal, Mülheim, Gelsenkirchen or Duisburg start and end if it were not for the town signs. The Ruhr is far from being one long dusty desert, however. The Gruga Park in Essen would do credit to any spa town. In the area round Lake Balderney one completely forgets the nearby blast furnaces and collieries. And the many public gardens along the Rhine and the fashionable Königsallee in Düsseldorf (known as Kö for short) are elegant, well-tended and worth visiting.

The people living in this gigantic industrial area are likeable characters who ask for nothing more than a good glass of beer (and there are breweries here in plenty), a cote of homing pigeons, a little garden on the edge of town and trips out into the country at the weekend. They are witty, even humorous in their speech, but often feel a little less at home in the written language.

The area round Lage, Lemgo and Detmold is important for furniture; Aachen is Germany's textiles city, also famous for its chocolate and Printen (spiced biscuits). Düsseldorf has steel and rolling-mills, manufactures foodstuffs, and is a leading production centre for detergents. The old part of the city with its innumerable cosy little pubs is busy almost right round the clock. Münster on the Dortmund-Ems Canal is important historically, for it was here that the Peace of Westphalia was signed in 1648 to end the Thirty Years' War. Warendorf on the River Ems has become famous as the home of the Westphalian state stud-farm; it is here that the German Olympic Equestrian Committee has its headquarters. Bünde is the home of many famous types of cigar.

The broad plains of the Lower Rhine with their typical farmhouses near Xanten (which has a 15th – 16th century Gothic cathedral and a Roman amphitheatre), Cleves and Wesel are quite different in character to the romantic scenery near the Drachenfels rock on the Rhine.

This Land alternates strangely between bustling activity and tranquillity. Moated castles on the lower Rhine, enormous farmhouses almost like castles on their lands, windmills, horse-paddocks, the valleys of the Lippe and the Ruhr, the Sieg and the Ems make a welcome change from the silhouettes of factories and collieries. It is almost like two different worlds which get along well together – perhaps because there is no alternative.

Lower Saxony

Pages 184 – 203

Bordering on Hesse and North Rhine-Westphalia in the south and the Netherlands in the west, Lower Saxony also includes the area known as East Friesland and stretches as far as the Elbe with Hamburg and Schleswig-Holstein. In other words Lower Saxony comprises the territory of the former Prussian province of Hanover together with Oldenburg, Brunswick and Schaumburg-Lippe.

In the south it is half-timbered houses which predominate, while round Cloppenburg there are the typical "Lower Saxony" houses with the crossed horses' heads on the gable; typical of East Friesland are the cottages on the coast and the brick farmhouses, real mansions, somewhat inland. The countryside in Lower Saxony is perhaps more varied than in many of the other Länder: it includes the wooded Harz mountains which scarp steeply to the north and the west; the broad expanse of Lüneburg Heath; the fertile coastlands in East Friesland; ports such as Emden, Wilhelmshaven, Cuxhaven; the fishing ports of Karolinensiel, Bensersiel, Neuharlingersiel; the East Frisian islands of Borkum, Juist, Norderney, Baltrum, Langeoog, Spiekeroog, Wangerooge, visited by hundreds of thousands of holidaymakers in the summer – and in recent years some in the winter too; and finally the oil rigs in Emsland.

Blossom-time attracts visitors every spring to the orchard of Lower Saxony, the Altes Land stretching from Harburg and Buxtehude to Stade. Cottage-smoked ham, smoked eel, black bread and grain schnaps await the visitor in all the inns round here. Wolfsburg, the "test-tube town", is the home of the Volkswagen. The capital of the Land, Hanover, is not only a historical city, it is also an important industrial centre manufacturing rubber, foodstuffs, vehicles and chemicals. So it is not without reason that the most important trade fair in Europe is held here every year – Germany's "technical shop-window".

Goslar, with its imperial palace and Gothic and Baroque buildings, Hildesheim with its Romanesque cathedral of St Mary, and about 200 half-timbered houses, or Hamelin of Pied Piper fame with its old buildings and mills are, like many other things in Lower Saxony, steeped in history. Hanover became an electorate in 1692, had a "Personal Union" with Great Britain from 1714 to 1837, was a kingdom from 1814 to 1866, and then became a province of Prussia. Verden on the River Aller is a horse town with horse-breeding, horse-shows and a horse-museum. The cathedral (11th to 15th centuries) and a collection of Stone Age finds are also worth visiting. Finally Brunswick, once a member of the Hanseatic League, which owed its wealth to its position on the former west-east trade route. Almost 100 half-timbered houses (15th to 18th centuries) and the cathedral with the tomb of Henry the Lion have been preserved.

Lower Saxony is essentially a Land which lives on crop- and stock-farming and also on shipping and fishing. More recently work has been started on exploiting natural resources such as potash, salt, brown coal, iron-ore and oil. Industry is concentrated in a few large centres round the cities.

Bremen

Pages 204–206

As regards surface area (156 square miles) and population, Bremen is by far the smallest Land in the Federal Republic – but by no means the least important. As early as 787 it became an episcopal see and in 845 even the seat of an archbishop. 120 years later it was granted market privileges and joined the Hanseatic League in 1258. Finally in 1646 it was declared a Free Imperial City.

It was from Bremen that Christianity was brought to north Germany. Proud merchants contributed towards the cultural wealth of the city; important buildings include the town hall with its Renaissance façade, with Roland, the stone giant, on guard in front. As Germany's second largest seaport and important inland port, Bremen handles a considerable proportion of W.Germany's goods traffic, including tobacco from overseas, cotton (there is an important cotton exchange), timber, grain and many mixed cargoes. Tobacco is processed in the city, as are coffee and tea (including blends for the East Frisians, who are great connoisseurs of tea). Other important economic factors are the shipyards, wine imports, the manufacture of silver goods, engineering and spinning. Maritime shipping is of course vital to Bremen and the Institute for Maritime Shipping and the School of Navigation provide research and training in this field.

Further downstream, at the mouth of the Weser estuary, lies Bremerhaven, Europe's leading fishing port and also Germany's largest passenger – and therefore emigration – terminal. Many ocean vessels which are too large to sail up the Weser dock here, the most famous berth being the Columbus Quay. It is only by taking a trip round the port that one can get a true impression of the enormous size of the port facilities: gigantic auction-halls, canning factories, fish mills (to produce fodder) and shipping offices. Every year, at the beginning of the herring season, the whole town turns out for the "herring festival". For the rest, Bremerhaven is like any other seaport with street upon street of bars and the red-light district – and visitors from all over the world. A beautiful city? That's difficult to say – particularly after having first seen Bremen. But it's certainly impressive.

You can judge the extent to which Bremen and Bremerhaven live with and off the sea from the newspapers and the conversations among the inhabitants: when ships are putting in, what they have taken on, when they are putting out to sea again – these are the main topics of interest here.

Hamburg

Pages 207–209

The Federal Republic's largest city is at the same time its second smallest Land – the Free and Hanseatic City of Hamburg. Even though it is over 60 miles from the North Sea it is nevertheless Germany's largest sea- and inland-port. Mammoth ocean vessels sail right up to the centre of the city, to the overseas berths or into the free port. The latter is the size of an average country town. The entire area counts as foreign territory for customs purposes and goods from all over the world are stored in the gigantic sheds. The city's original name was probably Hammaburg;

in 831 it was already an episcopal see and three years later the seat of an archbishop. The treaty which it signed with Lübeck in 1241 for their mutual protection formed the basis for the Hanseatic League. Hamburg was made a Free City in 1510 and in 1837 "Greater Hamburg" came into being by the incorporation of various outlying districts. In 1914 Hamburg possessed the largest shipping company in the world in HAPAG (Hamburg-Amerikanische Paketfahrt AG). Nowadays all the leading shipping companies have agencies on the Elbe and ships sailing from or bound for all parts of the world put in here. "Gateway to the World," say some, "The Tradesmen's Entrance to Germany," say others – it just depends which way you look at it.

In addition Hamburg is also an important industrial centre with fish-canneries, tobacco firms, mills, engineering works, food-manufacturers, and of course shipyards (Stülcken, Blohm und Voß). Hamburg is therefore one of the richer Länder, and indeed expenditure on public amenities is correspondingly generous – on schools, hospitals, roads, public transport and parks. Nevertheless an increasing number of citizens are moving out of the city to the outskirts. Not really of their own accord, but forced to move by the construction of administrative buildings, shopping centres, and industrial plants. After 7pm the city centre is dead, everybody has gone home to the residential areas on the outskirts, some as far away as deep in Lüneburg Heath or in the Altes Land.

There is of course one quarter which comes to life at this time: the Reeperbahn in St Pauli, "the most sinful mile in the world". It is a mixture of cheap sex, gyp-joints and shady characters, a whiff of sin which draws the crowds and strips not a few (financially speaking).

Hamburg's surroundings are delightful with the Sachsenwald Forest with Friedrichsruhe Castle, Bismarck's last resting-place, in the east, Vierlanden, the border with East Germany near Lauenburg, the Heath, the Altes Land and the Holstein Lakes, and of course the Baltic. Downstream the Elbe is the "Willkommhöft", where all passing ships are saluted with their national flag and anthem.

Schleswig-Holstein

Pages 210 – 231

Schleswig-Holstein is Germany's bridge to Scandinavia. Bounded on the east by the Baltic and on the west by the North Sea, this narrow strip of land borders on Denmark to the north. The "bridgehead" to the south is Hamburg and Lower Saxony. Schleswig and Holstein have been united for a long time – ever since 1386 when the Duchy of Schleswig and the County of Holstein (as from 1484 also a duchy) joined together.

Both coasts and the offshore islands in the west have dedicated themselves to tourism, with Sylt, Amrum, Husum, Büsum on the west side and Travemünde, Timmendorf, Fehmarn, Eckernförde and Glücksburg on the east. Crop- and stock-farming play an important role too, however, not forgetting of course fishing and coastal trade. The Kiel Canal divides the Land in two between Kiel and Brunsbüttelkoog; an important international waterway 61 miles long and 328 ft wide, it is the busiest canal in the world. At Rendsburg the railway crosses the Canal via a 137 ft high bridge, while road traffic passes through the new tunnel beneath the water. The Förden (inlets) at Flensburg, Schleswig, Eckernförde and Lübeck form ideal harbours for fishermen and ships. Here there are shipyards and fish-processing plants and the most important industrial centres in the Land.

Schleswig, a fishing port on the Schlei, has a Gothic cathedral (1268 – 1711) containing the famous Bordesholm altar by Hans Brüggemann. Important finds from prehistoric times and also all sorts of unusual exhibits from later epochs can be viewed in the museum in Gottorp Castle. The hilly country, dotted with lakes, between Kiel and Lübeck Bay is known as the Switzerland of Holstein. The most important places are Plön, Malente, and Eutin. The composer Carl Maria von Weber once used to live here. Heide once belonged to the independent Peasants' Republic of Dithmarschen, but is now the site of a large oil refinery. The writer Theodor Storm grew up in Husum, "the grey town beside the sea". Kiel, the capital of the Land, is the home of Kiel Week, an important annual sailing regatta with cultural fringe events. The yachting events in the XXth Olympic Games were held here in 1972.

There are plenty of places to visit for holidaymakers both in winter and in summer in the Land "between the seas"; the ships out at sea and in port, the sandy beaches with all their colourful activity, the famous black and white cows, the traditional Wyk costumes on the island of Föhr, Glücksburg Castle reflected in its moat, fortified churches everywhere, windmills, stately farmhouses and the low fishermen s cottages. Tourist amenities are expanding every year: more comfortable accommodation, still more indoor swimming-baths, spa facilities, entertainment programmes. But the typical and traditional specialities of this Land never lose their popularity – Lübeck marzipan, Flensburg rum, and other strong schnaps, sprats from Kiel, smoked eel and all sorts of fish specialities which are served even in small country inns. And of course the evening "Klönsnack" (a leisurely chat) in a fishermen's pub.

Berlin

Pages 232 – 235

It was as the imperial capital and seat of two imperial governments that the old Berlin gained international standing. The inferno of the last few weeks of the Second World War destroyed much that had formerly contributed towards the greatness of this metropolis. What remains is a population of over three million people who feel themselves entitled to enjoy peaceful co-existence, pleasure and amusement.

In July, 1945, Berlin was divided into four occupied sectors by the victorious powers, From then on the four-sector city was subject to the supreme executive body in Germany, the Allied Control Council. Initially the four city commandants administered the city jointly through the "Interallied Command" and delegated a large proportion of the work involved to the German city council. Berlin remained united. But differences between the victorious powers proved in the long run to be too deep-seated to guarantee this unity.

So it was that in June, 1948, the month of the Currency Reform, the political and administrative life of the city was split down the middle and Berlin blockaded. The important access routes were blocked until May, 1949, and the supply of basic necessities could only be effected by means of the allied air lift. The purpose of this blockade appeared to be to induce the Western Powers to give up their sectors. The eastern part of the city was incorporated into the German Democratic Republic, founded in 1949. West Berlin, on the other hand, became inextricably bound up legally, economically, and financially with the Federal Republic of Germany and experienced the same economic upswing.

Finally, on 13th August, 1961, the Wall was built. This seemed at first to seal Berlin's fate as a divided city. It was not until the Four Power Agreement of 3rd September, 1971, that this isolation was overcome and the way made clear again for West-Berliners to visit the eastern part of the city and the Democratic Republic.

Berlin serves as a kind of shop-window for two power blocs with differing social orders. West Berlin's viability has not been impaired; it is fully integrated into the economic and financial system of the Federal Republic. The legal unity between Berlin and the Federal Government has been guaranteed. All existing bonds of this type are confirmed by the 1971 Four Power Agreement. In addition this Agreement guarantees the free flow of traffic on the access routes to Berlin: at the moment these comprise three air corridors, eight railway lines, five roads and two waterways.

The neutral – and unprejudiced – observer must admit that a great deal has been accomplished on both sides – much that is good, and a little that needs re-thinking. The economic and cultural achievements on both sides of the Wall are considerable.

Berlin humour, wit, urbanity – these are still to be found on both sides of the Wall. And it is probably chiefly thanks to these that the Berliners have managed to survive all these years despite two currencies, the blockade and being used as a shuttlecock by two power blocs.

The German Democratic Republic

236–263

The western boundary of the "other Germany" – the German Democratic Republic – runs south from the Baltic coast near Lübeck as far as the Elbe, follows the river as far as the Schleswig-Holstein town of Lauenburg (border post) and then continues south again, first bordering with Lower Saxony and then with Hesse. In the south it borders with northern Bavaria and then after Hof with Czechoslovakia, turning sharp north to the east of Dresden and following the course of first the Neiße and then the Oder as far as Stettin. Finally in the north it crosses the Baltic coast and the offshore islands.

In other words on 7th October, 1949, the five Länder of Brandenburg, Mecklenburg, Saxony, Saxony-Anhalt and Thuringia were combined to form the decentralised autonomous state of the German Democratic Republic (GDR). Since 1952 the GDR has existed as a centralised autonomous state consisting of 14 districts: Potsdam, Cottbus, Frankfurt/Oder (Brandenburg); Rostock, Schwerin, Neubrandenburg (Mecklenburg); Chemnitz, Dresden, Leipzig (Saxony); Halle, Magdeburg (Saxony-Anhalt); Erfurt, Gera, Suhl (Thuringia). According to Article 1 of its constitution the GDR is a socialist state of the German nation. This is then the factual and geographical background.

Since the foundation of the GDR in 1949, its capital has been the eastern half of the divided city of Berlin. This is also the historical centre of the old capital, with the Brandenburg Gate, the Opera House, the Zeughaus (arsenal), the Marstall (royal stables), the Rote Rathaus (red town hall), the Neue Wache by Schinkel (palace guard building), the Ribbeck house, the church of St Hedwig, and the magnificent avenue "Unter den Linden", the Humboldt University, the museum island with the world-famous art collections and the Pergamon Altar, and the former Gendarmen Market, now restored. East Berlin is also the setting for the tales which the raconteur Heinrich Zille used to tell about the Berlin slums.

Alexander Square and its extension have been redesigned to form the 400 ft wide Karl-Marx-Allee and Lenin Square with the 35-storey "Stadt Berlin" hotel. The 1,182 ft television tower, the second highest in the world, towers over the rest of the city. It was certainly not for political reasons that the West Germans always tended to look down a little on their "eastern brothers" – the main reason for this was that those "on the other side" were not so fortunate materially in the first post-war years as their "rich cousins" in the west with their free market economy. It is, however, certain that the cause of this is not that the East Germans are less industrious, but perhaps rather that they have a different economic and social system which demands that all important production facilities should be state- or cooperative owned. A discussion of the pros and cons of these two economic systems is a matter for the economists, however.

The Leipzig trade fair proves annually, however, that the first "worker and farmer state" is nevertheless economically successful. And the relatively high export figures also bear this out. And finally it is known for a fact that the standard of living in the GDR is way above that in other East Bloc countries. This small country, 41,600 square miles in area and with a population of just over 17 million, ranks ninth in the world as regards industrial production and fifth in Europe.

Since 1961 the GDR has caught up on a lot of reconstruction work in the country which had hitherto been neglected. The new towns and satellite towns which have sprung up in the Federal Republic have their counterparts "on the other side": for example, Calbe (ironworks west); Lauchhammer (large-scale coking plant for brown coal); Rostock (Reutershagen, Lüttenklein and Südstadt; shipyards and ocean port); Stralsund (suburb of Knieper; People's shipyards); Eisenhüttenstadt (ironworks combine east); Hoyerswerda (brown coal combine "Schwarze Pumpe"); Schwedt (refinery); and finally the chemicals town of Halle-Neustadt (Halle-West). Apart from Halle all the satellite towns mentioned here are expanded versions of existing settlements and do not have their own administration.

But the visitor from the West will certainly be more interested in geographical information. The long sandy beaches on the Baltic coast are breathtaking – some readers might know them from their own experience, to others they will be familiar from pictures – and they are truly picture-book beaches. Less well-known, but no less attractive are the lake districts in Mecklenburg and the Mark, at one time favourite excursions for Berliners.

Then there is the romantic Harz with Mount Brocken, the Thuringian Forest and the somewhat higher Erzgebirge. Anyone who has ever gone hiking or skiing in these ranges of mountains will say how beautiful they are. And many a keen rock-climber still thinks back wistfully to outings to the Elbsandstein mountains, not far from Dresden. Here bizarre rocky pinnacles rise up sharply and are a favourite excursion for rock-climbers at the weekend.

Historical monuments too are carefully preserved here. On the island of Rügen there are the ramparts of the Wendish castle of Jaromarsburg near Cape Arkona. In Görlitz there are old Bronze Age fortifications. There is the Krämerbrücke (shopkeepers' bridge) in Erfurt, a reminder of the former east-west trade. Many historical old buildings have been irretrievably lost as a result of war damage, yet some have already been reconstructed after the original plans within the scope of the reconstruction programme. For example, Potsdam with Frederick II's castle of Sans Souci built by Knobelsdorff, the New Palace and the Orangery. The entire town centre of Stralsund has been placed under preservation order.

Luther's town of Wittenberg still looks the same as it did at the time of the Reformation. In the Gothic church of St Mary stands the font by Lucas Cranach and Hermann Vischer, truly one of the world's greatest art treasures. The magnificent cathedral in Quedlinburg (of Romanesque origin) and the Renaissance town hall have also been preserved. In addition there are many richly decorated burghers' houses in the Lower Saxony half-timbered style. The medieval town of Schmalkalden has also survived the atrocities of war unharmed. In Weimar, which was badly damaged, all the places of cultural and historic value have been faithfully reconstructed – the places where Goethe, Schiller, Liszt, Cranach, Herder and Wieland lived and worked.

Leipzig has always been a special case because of the international flavour it gains from its trade fair. But the other towns are catching up – for example Dresden. Here faithful restoration work has been carried out following old paintings of the city by Canaletto. The important collections can now be admired again in their old homes (Grünes Gewölbe, Art Gallery, porcelain collection). To stress Dresden's importance as an artistic centre, the most modern cultural centre in the GDR has been built here.

Here, as with the Federal Republic, we have to content ourselves with a very brief glance at the culture and geography of the country. So much more could be mentioned: the new housing estates everywhere; the spacious schools and the thorough education young people receive; the really excellent printed matter, real works of art held in high esteem throughout the world (for example the reprint of the "Atlas of the Great Elector" and other works of cultural and historical value); the relatively low rents and reasonable prices for basic foodstuffs.

One thing anybody visiting the GDR should overlook are some of the political practices and the sometimes alien way of life. We should try to forget all these differences and concentrate our attention on the people who want and have to live here.

"Don't bury the past, but use it as a foundation on which to build a better future," is perhaps a motto of particular relevance for us all today.

L'ALLEMAGNE

Qu'est-ce que l'Allemagne? Posons-nous donc cette question en toute simplicité et sans arrière-pensée. Il suffit de réfléchir quelques instants pour se rendre compte combien il est difficile de trouver une réponse satisfaisante. Celle de l'historien différera de celle de l'homme politique. De son côté, le sociologue y répond d'autre manière que le spécialiste de l'histoire des civilisations. Le philosophe en appellera peut-être à Kant et à Hegel. Le géographe se mettra à réfléchir et même le linguiste aura bien du mal à nous aider.

L'Allemagne – est-ce donc une notion fictive? Le rêve irréalisable des plus âgés d'entre nous? Belle folie, image irréelle, illusion, ballon que se lancent deux blocs politiques? Tout bien considéré, c'est peut-être se qui se rapproche le plus de la réalité. Car il s'agit, si l'on peut dire, d'un pays qui, en fait, n'existe plus, mais qui est cependant très critiqué et très loué à la fois. Les uns le considèrent comme le berceau d'un nationalisme incorrigible, les autres comme le pays de rêveurs invétérés.

Essayons de nous souvenir: le Saint-Empire romain germanique était bien loin de ressembler au Deuxièeme Reich qui, à son tour, était bien différent du Troisième. Puis la catastrophe de 1945 vint mettre fin à la folie et conduisit à la division de ce que l'on appelait depuis bien longtemps l'Allemagne. La partie occidentale prit bientôt le nom de République Fédérale d'Allemagne et la partie orientale devint la République Démocratique Allemande. Toutes deux se considèrent comme le «garant de l'idée allemande» et chacun de ces deux pays s'efforce de convaincre que c'est dans ses frontières que vivent les «bons Allemands». Un monde sépare ces deux Etats. Rideau de fer et «mur» de Berlin pourraient donc exprimer de manière effective ce qui avait été établi depuis longtemps sur le plan idéologique et pratique, à savoir la division de l'Allemagne.

Une langue commune, un passé historique commun suffisent-ils vraiment pour réaliser cette réunification? Considérons la langue. Il suffit d'écouter la radio ou de lire les journaux pour constater que ces deux pays parlent depuis longtemps une langue différente. Un éloignement se manifeste donc là aussi. Et l'histoire? Il n'est pas nécessaire d'être très perspicace pour se rendre compte que nous sommes en train de brader notre passé. On a établi d'autres mesures, créé d'autres valeurs. A l'Ouest comme à l'Est, on voit des hommes jeunes, nés après la guerre et qui ont grandi dans une ère nouvelle, occuper des positions dirigeantes; pour cette génération, une nouvelle notion d'idéal est née qui a nom consommation, accroissement de la production, bénéfice, puissance économique. Et pourtant, quantité de personnes – est-ce par hasard que ce sont les plus âgées? – continuent à parler de réunification. Comme s'il s'agissait là de la chose la plus facile au monde. Comme s'il suffisait, pour réaliser ce désir, de mettre en marche un certain mécanisme. Ce faisant, on a trop tendance à oublier que l'histoire suit son cours irrémédiable, un cours qui se laisse définir avec une exactitude mathématique et qui est soumis uniquement à la loi constante de l'enchaînement des causes et des effets.

Les deux parties de ce qui fut l'Allemagne se sont éloignées depuis longtemps pour aller chercher respectivement dans deux blocs différents ce qu'on considère comme le bonheur. Face à cet état de choses, un politicien peut-il encore vraiment réclamer la réunification? Pour l'obtenir, il faudrait rompre trop de liens qui se sont noués entretemps. Croire à l'appui des puissances qui se sont partagé ce qui fut l'Allemagne serait une erreur grave et la preuve d'un manque d'information bien déplorable. Français, Anglais, Russes, Américains – et les habitants d'autres pays européens – ressentiraient un certain malaise à la seule pensée d'une Allemagne unifiée. Il ne faut pas s'en étonner; il suffit d'un instant de réflexion pour les comprendre: le potentiel industriel de la R.D.A. et de la R.F.A. réunis, cela suffirait domination du marché, puissance mondiale.

Or, c'est précisément cela que personne ne veut plus accorder aux Allemands. Et la majorité des Allemands eux-mêmes ne veut plus en entendre parler. Les deux «Allemagne» se sont trop écartées l'une de l'autre pour que cela devienne possible. A l'Est, la jeunesse vit dans son idéologie – fidèle aux principes, fascinée par l'idée d'avoir fait naître des ruines «le premier Etat socialiste de travailleurs et de paysans». Quant à celle de l'Ouest, elle est fière de ne plus avoir d'«idéals démodés». Ses nouvelles idoles sont l'auto, l'appartement en co-propriété, une aisance croissante qui se manifeste par un raffinement constant de la consommation. Patrie, sentiment national? Ridicule! On n'y pense même pas. «Vivre» est la nouvelle devise; la masse ne fait pas grand cas des idéologies. De même qu'on n'aime pas ce qui vient des «vieux». La R.F.A. appartient aux jeunes. Quoi d'étonnant alors à ce que l'on entende si souvent: «Ne te fie à personnne de plus de trente ans!»

Il ne faut éprouver face à ces faits ni amertume, ni ironie ou tristesse. C'est une simple constatation où nous reconnaissons la loi mentionnée précédemment de la relation de cause à effet. Une chose se manifeste en tout cas très nettement: devant une telle toile de fond, il n'y aura pas – il ne peut y avoir – de réunification. Ce qui n'empêche pas toutefois de réaliser un arrangement entre les deux Allemagne. Echanges commerciaux, liberté de circuler d'un pays à l'autre, contacts privés entre les habitants, accords réglant les rapports des gouvernements – mais c'est tout.

Revenons-en à notre question. Qu'est-ce que l'Allemagne? Et voyons d'abord ce que ce n'est pas, à savoir: un espace culturel fermé, un ensemble du point de vue des us et coutumes; ce n'est pas non plus un Etat naturel tels que par exemple l'Angleterre, la France ou l'Italie. La langue elle-même n'est past unifiée. A l'école, on enseigne bien partout l'allemand littéraire. Le gros de la population continue toutefois à parler le dialecte de sa région respective; ces dialectes sont d'ailleurs fort colorés, vivants et imagés. A vrai dire, l'oreille ne reconnaît guère de points communs entre eux.

La seule réponse plausible naît de la réflexion suivante: désireux d'accroître leur puissance, les princes régnants et l'arbitraire de la politique ont rassemblé des territoires qui ne constituaient pas une véritable unité. Laissons aux historiens la tâche d'étudier cela. Une telle enquête dépasserait d'ailleurs de beaucoup le cadre de cet ouvrage. Nous nous contenterons de donner au lecteur un aperçu succinct des principaux événements historiques qui l'inciteront sans doute à la réflexion. Les origines historiques de l'Allemagne se perdent quelque part dans la nuit des temps. Des fouilles ont certes mis à jour des objets remontant aux âges de la pierre, du fer, du bronze et autre périodes préhistoriques. La recherche scientifique n'a cependant pas été à même, dans chaque cas particulier, de nous donner une explication satisfaisante. La seule chose vraiment certaine est que l'époque germanique primitive remonte approximativement au 8e siècle avant J.C.

Puis les romains pénétrèrent sur les territoires où vivaient les peuplades germaniques. Ils n'étaient pas seulement envahisseurs, mais aussi colonisateurs. En l'an 9 après J.C., Armin le Chérusque réussit à vaincre et à stopper les légions romaines de Varus dans le Teutoburger Wald. Soucieux d'assurer la sécurité de leurs nouveaux territoires, les romains ont procédé à l'aménagement d'une ligne de fortifications appelée Limes, ligne qui s'étire approximativement de Kelheim en Bavière jusqu'à Rheinbrohl en aval de Coblence. Au temps des grandes invasions (vers 250 après J.C.) on vit se former différents royaum es germaniques. Traversant les Balkans, les Wisigoths passèrent en Italie pour s'installer également dans le midi de la France et le nord de l'Espagne; les Vandales allèrent jusqu'en Afrique; les Alamans, les Burgondes et les Francs traversèrent le Rhin; les Angles et les Saxons attaignirent les Iles Britanniques et les Lombards s'installèrent dans la partie nord de l'Italie. Clovis (466–511) créa l'empire franc qui fut christianisé par des moines irlandais et par Boniface. Charlemagne (768–814) est considéré comme le rénovateur de l'empire. Mais ses successeurs se partagèrent ce qui avait été rassemblé à grand'peine. Otto Ier le Grand (936–975), fondateur du Saint-Empire romain germanique, entreprit les campagnes d'Italie.

Konrad III (1138–1152) est le premier membre de la dynastie des Staufen, suivi de Frédéric Barberousse (1152–1190) et plus tard Frédéric III (1212–1250). Entre 1274 et 1437, plusieurs dynasties ont occupé le trône impérial jusqu'à ce que les Habsbourg s'emparent de la couronne en 1438. Ils la conserveront d'ailleurs jusqu'en 1806: quatre siècles extrêmement mouvementés au cours desquels on assiste au développement du commerce accompagné d'un essor économique et de l'artisanat; mais ce fut aussi une période de guerres meurtrières entraînant sièges, pillages et épidémies.

Sous le règne des Habsbourg intervint un fait très important, la Réforme. Martin Luther (1483 – 1546), moine augustin et professeur de théologie à Wittenberg, exposa ses 93 thèses à la porte de la chapelle du château ce cette ville le 31 octobre 1517. Il publia trois ans plus tard ses écrits sur la Réforme ce qui lui valut d'être mis au ban de l'empire. A la diète impériale de Worms (1521) il refusa de renier sa thèse: «Je suis là, je ne peux faire autrement, Dieu veuille m'accorder son aide, amen.» Pour le sauver, son prine-électeur le fit enlever et conduire à la Wartburg où il vécut sous le nom de Junker Jörg et traduisit le Nouveau Testament en allemand. De retour à Wittenberg, il entreprit l'organisation de l'Eglise protestante – en dépit de l'empereur et du pape. La diète d'Augsbourg (1530) mettra fin à cette querelle et la Paix religieuse d'Augsbourg (1555) reconnaît provisoirement le protestantisme. Autre période mémorable du règne des Habsbourg: la Guerre de trente ans (1618 – 1648). Prétextant des difficultés d'ordre religieux et politique entre catholiques et protestants, les princes ont profité de la situation pour tenter d'agrandir leurs possessions et d'accroître leur puissance. La situation s'avérant favorable, les états se soulevèrent contre l'absolutisme de l'empereur Ferdinand d'Autriche. Suédois, Français, habitants de la Bohême, Habsbourg, Bavarois et Palatins se firent la guerre, brûlant et pillant tout sur leur passage. Et tout cela au nom du Christ? Les Traités de Westphalie qui mettent fin à cette guerre reconnaissent l'église protestante et réformée. Mais, au cours de ces trente années, la population de l'Allemagne avait diminué d'un tiers.

En 1806, l'empereur François II dépose la couronne du Saint-Empire. Les princes — sauf la Prusse, le Brunswick, la Hesse et l'Autriche — s'étaient réunis pour former la Confédération du Rhin. Ce faisant, ils n'avaient pas reconnu qu'ils adoptaient pour leur propre cause celle de Napoléon Ier. Cette Confédération fut dissoute lors des Guerres de libération (1813—1815). Pendant la révolution de 1848, la bourgeoisie s'efforça de rétablir l'ordre qui régnait avant l'ère napoléonnienne (Restauration). L'assemblée nationale se réunit dans l'église St Paul de Francfort. On parvient à imposer l'idée d'une «petite Allemagne». Frédéric Guillaume IV refuse la couronne impériale. En 1862, Bismarck devient premier ministre en Prusse et à la fois ministre des affaires étrangères. Puis il prend en 1867 la charge de Chancelier de la Fédération d'Allemagne du Nord. La victoire remportée sur la France en 1870 lui permet de rétablir l'empire allemand. Le roi de Prusse sera proclamé empereur d'Allemagne. La cérémonie se déroule dans la Galerie des glaces à Versailles (1871). L'Allemagne connaîtra désormais une période de calme, de sécurité et de contentement de soi. Nourrie par trois victoires (1864, 1866, 1870), la «notion de patrie» devient une sorte de «profession de foi nationale». Artisanat et bourgeoisie se bercent dans leur suffisance. C'est alors qu'arrive, reconnue seulement de quelques uns, la révolution industrielle; elle marque le début d'une période au cours de laquelle l'homme se verra dérober mainte racine ancienne.

La Première guerre mondiale (1914 – 1918) arrache l'Allemagne et une partie du monde à leur tranquillité bourgeoise. L'enthousiasme manifesté au début pour cette guerre qui apportait un changement bienvenu dans une sorte d'ennui né de la satiété ne tarda pas à faire place au découragement des années de défaite et de disette. Devant les pertes incroyables entraînées par les grandes batailles si meurtrières, l'enthousiasme du début fait place à la résignation. L'empereur abdique. Révolution, inflation, chômage, haine entre les partis engendrent toutes les conditions – toujours la relation de cause à effet – pour un deuxième conflit mondial, encore beaucoup plus meurtrier.

De 1939 à 1945, l'Europe est de nouveau en flammes. La démesure dont Hitler a fait preuve entraîne la plus terrible catastrophe que l'Allemagne ait jamais connue. Famine, désespoir puis résignation sont les premières réactions; puis on assiste à un essor qu'on appelle non sans fierté «miracle économique». L'histoire montrera plus tard si, ce faisant, des erreurs ont été commises. L'aide américaine a donné beaucoup de possibilités, les réparations de guerre ont été freinées, l'Allemagne de l'Ouest faisait penser à un «phénix s'élevant des cendres».

L'après-guerre ne fut certes pas aussi brillant pour l'Allemagne de l'Est. L'URSS exigeait en effet le paiement des réparations de guerre; des millions de personnes ont souffert de cet état de choses. Aujourd'hui, les habitants sont fiers aussi — et à juste titre — de ce qu'ils ont réalisé de leurs propres forces. Une aisance modeste s'est entretemps manifestée en R.D.A. Disons-nous bien, même au risque de choquer certains lecteurs, que chaque partie de l'Allemagne est certes estimée pour ses performances mais pas toujours aimée dans le bloc auquel elle appartient. Diligence d'une part et passé de l'autre nourrissent — à tort ou à raison — toutes sortes de craintes et éveillent à l'étranger certaines associations d'idées. Nous autres Allemands devons vivre avec cela. Toutes différences idéologiques mises à part, voilà bien un motif profond rendant toute réunification irréalisable.

Les historiens voudront bien nous pardonner cette esquisse grossière, incomplète et fragmentaire. Notre but était simplement de faire ressortir des rapports éloignés qui influencent pendant des siècles l'évolution d'un peuple. L'histoire construit, détruit, groupe et divise en un changement perpétuel. Certaines erreurs, à peine remarquées en leur temps, peuvent manifester leurs conséquences au cours de plusieurs siècles. L'histoire n'accorde pas le titre d'«homme d'Etat» automatiquement à ceux qui ont connu les honneurs de leur vivant.

Qu'est-ce que l'Allemagne? Posons-nous cette question une troisième fois. Soyons sincères: n'est-il pas naturel que certains Bavarois ressentent plus d'affinités pour leurs voisins Autrichiens que pour les habitants du Schleswig-Holstein? Les descendants des Alamans (en Bade) ne se comprennent-ils pas mieux avec les Suisses et les Alsaciens qu'avec les Allemands de la Ruhr ou de Saxe — mur et rideau de fer mis à part? Le Westphalien n'at-il pas davantage de points communs avec le Hollandais qu'avec le Wurtembergeois? Et, si on laisse de côté les différences idéologiques et politiques, ne faut-il pas reconnaître que l'habitant de Haute-Franconie (partie nord-est de la Bavière) se rapproche bien plus de ses voisins des Monts de Thuringe que des habitants de la Frise Orientale?

Quelque neuf cents kilomètres séparent Flensburg de Berchtesgaden et six cents environ s'étirent entre la Sarre et l'Oder. La mer et les Alpes, des plaines fertiles et des massifs anciens recouverts de forêts, des communes rurales et des centres industriels recouvrent cet espace du nord au sud et d'est en ouest. La manière de vivre des gens et le paysage sont à l'origine de traits de caractère communs qu'aucune idée ou opinion politique n'est à même de faire naître. La population de chaque région possède des traditions remontant à une époque où la communauté était pour ainsi dire la seule chance de survie. Il en reste encore des traces aujourd'hui bien que l'on assiste à un «nivellement», à un abandon des traditions. Ce processus est d'ailleurs souvent inconscient. Nous vivons dans une grande révolution dont la devise est «éloignons-nous du passé».

Goethe, Schiller, Hölderlin, Kleist et Eichendorff étaient tous Allemands. On entend pourtant dire que, dans certaines écoles, on les rejette comme «n'étant plus d'époque». Le Zwinger de Dresde, la Porte de Brandebourg, les cathédrales de Cologne ou de Fribourg, l'œuvre d'un Riemenschneider ou d'un Dürer, la Wieskirche, la Ludwigstrasse de Munich, Rothenburg-sur-la-Tauber, tout cela incarne le génie allemand. Toutefois, l'observateur attentif qui flâne dans nos villes constate que bien des choses livrées par la tradition doivent faire place à l'esprit nouveau.

L'acier, le béton et le verre, combinés parfois avec un manque total d'idée, sont devenus comme une sorte de symbole de notre époque. Que ce soit à l'est ou à l'ouest. Les tentatives de restauration — qui se font d'ailleurs de plus en plus rares — ne parviennent pas à remédier à cet état de choses. Notre siècle se donne son propre aspect, un visage universel. Sur la voie de cette «profilation», on donne suite sans conteste à mainte exigence de modernisme venant se placer au premier plan.

Alors, qu'est-ce donc que l'Allemagne? A vrai dire, tout ce qui a été évoqué jusqu'ici. Mais c'est bien plus encore. L'Allemagne, ce sont aussi les interminables files de voitures qui envahissent — surtout pendant le week-end —

routes et autoroutes. Ce sont ces jeunes qui refusent d'accepter le «monde des vieux», qui manifeste leur contestattion par leur coiffure et leur costume, la musique et les drogues, et qui crient leur haine inarticulée envers toute «tradition». Ce sont ces quelque deux millions d'ouvriers étrangers qui peuplent nos gares après le travail ou pendant le week-end; indispensables pour accomplir des travaux que nos gens se refuseraient souvent de faire, on les considère trop souvent comme un mal nécessaire. Ce sont les personnes âgées qui ne comprennent plus ce monde, passent des heures sur un banc, incomprises de leur entourage, et que leur famille a souvent placées dans une «maison de vieillards». Ce sont les nombreuses maisonnettes construites dans la verdure, anachronismes d'un temps révolu, oasis idylliques dans un monde hectique.

L'Allemagne, ce sont aussi les montagnes d'ordures et les amoncellements de vieilles voitures aux portes des villes et villages, ces menaces d'une envergure considérable, tributs dus au miracle économique et problèmes bien difficiles à résoudre. Ce sont les étudiants contestataires et ceux qui prennent leurs études au sérieux afin de pouvoir profiter au plus vite d'une prospérité toujours croissante. Ce sont tous les édifices historiques existant depuis des siècles et dont la pierre est empoisonnée progressivement par les gaz d'échappement de nòs voitures. Et c'est tous ces gens qui considèrent avec un hochement de tête tout ce qui est nouveau et qui pourrait éventuellement venir troubler leur quiétude. Ceux qui voudraient voir les jeunes gens soumis à une discipline de fer et qui réclament la peine de mort chaque fois qu'ils entendent parler d'un acte criminel.

L'Allemagne, ce sont les églises peu fréquentées, ceux qui quittent leur communauté religieuse pour des raisons fiscales, les groupes radicaux quelle que soit leur couleur, les mouvements de jeunesse, à l'est et à l'ouest – en uniforme ou non.

Elle est encore illustrée par ces trains aux voyageurs qui reviennent d'un match de football, brandissant drapeaux et bouteilles de bière, criant et jouant de la trompette.

Mais il ne faut pas oublier non plus les amphithéâtres combles des universités; les jeunes qui, désireux d'accroître leurs connaissances, fréquentent les universités populaires après leur travail; les associations d'excursionnistes qui, par pur idéalisme, procèdent au marquage de milliers de kilomètres de sentiers pour les autres. Et ce sont aussi, hélas, les hold-up à main armée, les actes criminels dont les statistiques augmentent sans cesse à l'est comme à l'ouest. L'Allemagne, c'est l'enseignement en deux temps dans de nombreuses écoles, le manque de professeurs, des blocs d'habitation tous plus ou moins semblables de Flensburg à Constance; ce sont les supermarchés, les grandes magasins, les quartiers miséreux à la lisère des grändes villes. C'est la consommation croissante d'alcool et un nombre toujours plus grand de névrosés. Ce sont les routes nouvellement aménagées, les cercles privés de musique de chambre, les luxueuses villas et les asiles pour sans-abri.

L'Allemagne – ce sont tous ceux qui partent apporter leur aide aux pays du tiers monde, moyennant un salaire ridicule; c'est la vague d'érotisme et le culte de stars à la voix grêle – et qu'on appelle chanteurs; c'est à la fois la publicité et les slogans, les sectes religieuses et le culte des anciennes coutumes. Ce sont les musées, les jardinets, la mode – mini, midi ou maxi; tous ceux qui ont été expatriés et qui sont redevenus sédentaires depuis longtemps déjà; mais ce sont aussi les rêveurs, les querelleurs et les dégénérés ou anormaux. L'Allemagne – c'est nous tous – sans oublier les camps de concentration et les atrocités qui s'y sont déroulées.

Un fait est certain: Chacun de nous, qu'il vive dans la partie est ou dans la partie ouest de l'Allemagne, se fait de cette notion une toute autre idée. Et qui pourrait se permettre de prétendre que telle et telle choses sont bonnes tandis que le reste est mauvais? L'Allemagne, notre pays, a de multiples visages; Elle est à la fois variée, étincelante de lumière, insondable et belle. Le destin nous a placés là et nous devons y vivre, que nous le voulions ou non. Montesquieu prétendait qu'il n'y a pas de peuple plus heureux que celui dont l'histoire est ennuyeuse. Considérée sous cet angle, l'Allemagne n'a jamais été un pays heureux. Mais peut-être sommes-nous maintenant sur le chemin qui conduit à ce bonheur. Qui sait ...

La Republique Fêdêrale d'Allemagne

La Bavière

Pages 57–91

«La Bavière – paradis de vacances en Allemagne». Ce cliché s'intensifie de plus en plus à mesure qu'on s'avance vers le nord de l'Allemagne. Et cette opinion est encore plus profondément ancrée à l'étranger, proche ou lointain. Bavarois est devenu synonyme de «Gemütlichkeit». Et nombre d'Américains visitant «Old Germany» croient devoir s'adapter en portant un chapeau bavarois typique. Au nord de notre pays même, beaucoup pensent que les Bavarois portent constamment le costume folklorique, chantent des Tyroliennes et dansent le «Schuhplattler».

«C'est bon» – se disent les Bavarois. Et, comédiens nés doués d'une certaine rouerie, ils jouent cette comédie. Dans la mesure, du moins, où cela ne les gêne pas personnellement. Tous ceux qui connaissent la Bavière en dehors de la «saison» savent bien ce que nous voulons exprimer ici. Les hommes ont alors troqué leur joli costume folklorique pour des vestons «à la mode»; chez les jeunes filles, mini, midi ou maxi – selon la mode du moment – viennent supplanter le Dirndl qui va pourtant si lien avec ce paysage. On pratique certes les danses folkloriques, on chante des tyroliennes et on joue de la cithare – mais presque uniquement pour les touristes. Les «temps modernes» n'ont pas fait halte aux portes de la Bavière. Tempi passati. Sur un point, toutefois, la Bavière fait preuve de tradition. C'est en effet le seul Land qui avait déjà ses frontières actuelles sous l'Empire et pendant la République de Weimar. Le passé historique de la Bavière est riche et mouvementé; son héritage culturel est particulièrement varié et célèbre. Munich «capitale secrète» de l'Allemagne et capitale des arts, est connue dans le monde entier. Partout, on sait que la Bavière est le berceau du style baroque.

Le district gouvernemental de Souabe se spécialise essentiellement dans l'élevage et les produits laitiers. Toutefois, le tourisme s'y développe de plus en plus, notamment dans l'Allgäu. C'est d'ailleurs de là que part la «route romantique». Commençant près de Steingaden, elle s'étire vers Schongau, Landsberg, Augsbourg, Donauwörth, Dinkelsbühl et Rothenburg-sur-la-Tauber pour aller se perdre finalement dans les vignobles de Franconie. Peut-être sommes-nous trop rapprochés des merveilles qui jalonnent cette route pour en être enthousiasmés. Les étrangers qui y passent sont littéralement enchantés.

Nuremberg, ville natale de Dürer reconstruite partiellement d'après d'anciens plans, et sa voisine Fürth constituent le noyau économique de la Bavière du Nord. Bamberg (cathédrale, cavalier de Bamberg, hôtel de ville, autel de Riemenschneider) est le centre culturel de la Haute-Franconie. Toutefois, c'est en Haute-Bavière qu'il faut chercher ce qui est «typiquement bavarois»: les sommets qui se dressent entre le Watzmann et la Zugspitze, les lacs et leur décor pittoresque, les fermes cossues et tous les ravissants petits villages et localités. Mais cette image se modifie aussi peu à peu. Munich est devenu un grand centre industriel, nombre de localités se déparent en construisant de grands buildings. La couleur locale s'efface et c'est bien dommage.

Bade-Wurtemberg

Pages 92–119

Le 25 avril 1945, les trois Etats de Bade, Wurtemberg et Hohenzollern ont été réunis pour constituer le Land de Bade-Wurtemberg. Un plébiscite en avait décidé ainsi. Mais il y a, aujourd'hui encore, nombre de personnes qui parlent d'un acte arbitraire et voudraient voir annuler cette réunion. Allemands? Oui, nous le sommes, mais pas wurtembergeois – disent souvent les habitants de la Bade. Ce pays limité par le lac de Constance puis le Rhin jusqu'à Karlsruhe, le Land de Rhénanie-Palatinat jusqu'à Mannheim, et dont la frontière se dirige ensuite à l'est jusqu'au confluent de la Tauber et du Main pour atteindre la Bavière, sa voisine à l'est – est d'une étendue fort respectable. Style baroque, vergers et champs de fleurs caractérisent les environs du lac de Constance. Les versants ouest descendant vers la plaine du Rhin sont plantés de vignobles produisant d'excellents vins tels que Markgräfler, Breisacher, Kaiserstühler et Ortenauer. Dans les vergers mûrissent aussi des fruits délicieux: prunes de Bühl, cerises, noix, pommes et poires. C'est en outre la région des asperges par excellence: Steinenstadt, Opfingen, Schwetzingen. Le sol fertile de la vallée du Neckar favorise de bons rendements agricoles; de plus, une industrie prospère s'y est développée. Avec son sol pauvre et ses habitants au caractère plutôt renfermé, le Jura souabe est beaucoup moins attrayant à première vue. Entre Ulm et Stuttgart se sont installées des usines aux noms célèbres dans le monde entier: Mercedes, Magirus, Bosch, Märklin, WMF, SEL, Hengstenberg – pour n'en citer que quelques unes.

Lors d'un periple dans cette région très prospère, on rencontre de nombreux noms familiers aux spécialistes des affaires en bourse. Malgré les efforts accomplis, Stuttgart, capitale du Land, ne parvient pas à devenir une métropole – notamment en ce qui concerne les divertissements. On aime bien manger et bien boire et les habitants sont laborieux. Les environs sont ravissants. Mais les Souabes n'ont pas la moindre trace d'insouciance. Ce peuple, bien qu'aimant les voyages, n'apprécie la mondanité que dans la mesure où les relations d'affaires jouent un rôle. Sans plus.

Les habitants des environs du lac de Constance sont bien différents. Jovialité et joie de vivre les caractérisent. Avec ses vins excellents, cette contrée invite littéralement à y passer des vacances. De mai jusque dans le courant de l'automne, villes et villages vivent tous plus ou moins du tourisme. Les connaisseurs recherchent nombre de petits restaurants ne payant pas de mine mais où la cuisine et les vins satisfont les plus difficiles. C'est une région très hospitalière. De même al vallée du Rhin avec Bad Bellingen, Badenweiler, Bad Krozingen et Baden-Baden. Dans la Forêt-Noire, des auberges appartenant à la même famille depuis des générations ont souvent été transformées en hôtels modernes offrant tout le confort désiré. Il est bien agréable de pouvoir, dans la même journée, se baigner dans une piscine en plein air et faire du ski sur les pentes environnantes. Influencée partiellement par la France, la Suisse et l'Autriche, la cuisine est excellente. En un mot, un pays où il fait bon vivre.

La Hesse

Pages 120 – 139

L'Odenwald, la Bergstrasse, la contrée descendant vers le Rhin, la vallée du Main inférieur, le Taunus et les derniers contreforts du Westerwald, la zone montagneuse de Hesse avec le Vogelsberg et la Rhön, la région située entre la Werra et la Fulda d'une part et, de l'autre, l'Eder et la Diemel – tout cela a été réuni après la dernière guerre pour constituer le Land de Hesse. En dehors des villes, la région a conservé en grande partie son caractère originell hauteurs aux pentes douces, maisons à colombages, petits villages accueillants, vergers, prairies et vallées. Rüdesheim, le «champ de foire de la nation» avec sa célèbre Drosselgasse est également en Hesse. Le vin rend gai, diton; ici, cette gaieté est commercialisée jusqu'à la perfection.

Les stations thermales offrent une atmosphère plus calme et plus distinguée. Nombre de personnes viennent chercher soulagement et repos à Wildungen, Hersfeld, Salzschlirf, Nauheim, Salzhausen, Soden, Orb, Homburg, Schwalbach ou Wiesbaden – qui est à la fois capitale du Land. Blotties dans les vignobles, entre les hauteurs ou au milieu des champs, les différentes localités invitent à y passer des loisirs.

Francfort est sans doute la plus américaine de toutes les villes d'Allemagne. Les affaires y sont florissantes comme nulle part ailleurs. D'immenses entreprises y ont aménagé leur siège social. Les buildings de verre et béton se multiplient. Partout règne une atmosphère hectique. Jour et nuit. On a certes reconstruit une partie du vieux Francfort autour de la Hauptwache et on essaie de maintenir à Sachsenhausen la tradition de l'«Äppelwoi»; toutefois, ce ne sont là que des réminiscences, sans plus. Le «business» règle la vie de cette ville, dur, inexorable.

De plus en plus envahie par l'industrie et les grands bureaux, Francfort voit sa population diminuer. Des milliers de personnes travaillant dans ce grand centre commercial et industriel font tous les jours jusqu'à cent kilomètres – par le train, le bus ou en voiture. Quant à l'immense aéroport «Rhin-Main», il peut voir passer – arrivées et départs – jusqu'à 30 millions de passagers par an.

Telle est maintenant la ville où Goethe vit le jour. Voici la Paulskirche. Les vieux Francfortois secouent la tête – ils ne reconnaissent plus leur ville. Et la ville n'a pour ainsi dire plus de place pour eux. Sur le chemin d'un «avenir meilleur», il arrive qu'on empoisonne la vie des habitants.

Aux portes de Francfort, nous trouvons Hanau (argenterie et orfèvrerie, fabriques de caoutchouc, tailleries de diamants, industrie du bois) et Offenbach (cuirs, métaux, fonderies de caractères). Fulda, vieille cité épiscopale où Boniface, l'apôtre des Allemands martyrisé en 754, repose dans la cathédrale, est également en Hesse. De même Kassel avec son château de Wilhelmshöhe où s'est d'roulée la rencontre mémorable Brandt-Stoph. Alsfeld sur le Vogelsberg est considérée comme une des plus belles villes de Hesse; l'hôtel de ville, construction à colombages pourvue de tours, tourelles, pignons et encorbellements, a été posé sur des fondations en arcade et constitue le joyau de la magnifique place du Marché.

En Hesse, il importe aussi de ne pas oublier les pittoresques ruines d'anciens châteaux couronnant les hauteurs qui dominent le Rhin.

Rhénanie-Palatinat

Pages 140 – 155

Pour caractériser en une seule phrase le Land de Rhénanie-Palatinat, il suffirait de dire: le seul Land qui ait un ministre responsable de la viticulture. Ce n'est d'ailleurs pas par hasard. Ce Land possède en effet 70% des vignobles de R.F.A.; et ces vignobles produisent quelque 80% de la récolte globale. La «route du vin» dans le Palatinat, les versants dominant la Nahe, la Moselle, la Sarre et la Ruwer, la vallée du Rhin et le Rhin moyen constituent le vignoble allemand par excellence. Nous n'allons pas nous attarder à citer des noms célèbres, connus de tous.

Mayence qui, dès 1254, devint le siège de la Fédération des villes de Hesse et du Rhin, est à la fois capitale du Land et premier centre allemand du commerce du vin. Cette vénérable cité épiscopale est certes devenue une des citadelles du «Carnaval». Mais elle possède aussi nombre de sommelleries spécialisées dans la fabrication de vins mousseux. Une université y a été créée après la Deuxième guerre mondiale. La cathédrale romane date du 13e siècle. Et c'est là, ne l'oublions pas, que Gutenberg a découvert l'imprimerie.

Autre ville au riche passé historique, Speyer a vu se réunir 50 diètes d'empire et fut de 1527 à 1689 le siège du «Reichskammergericht» (tribunal suprême de l'époque). La cathédrale romane a été érigée au 11e siècle.

Coblence a été fondée par les romains en l'an 9 après J.C., au confluent de la Moselle et du Rhin. A cette même période remonte l'origine de Trèves (Porta Nigra, amphithéâtre, basilique, thermes), résidence impériale du 3e au 5e siècle.

Le joyau du pays est sans aucun doute Idar-Oberstein, la ville de la joaillerie. Non loin de là, Bad Kreuznach, station thermale où s'est installé le Centre de recherche et d'enseignement pour la viticulture et l'arboriculture. Bad Neuenahr est recherché pour ses thermes (36 °C) curatifs par les personnes souffrant de diabète, de goutte ou de troubles de la vésicule biliaire; el soir, on peut tenter sa chance au casino. L'Eifel, à l'extrémité nord-ouest de ce Land, doit sa célébrité mondiale au Nürburgring, circuit automobile de 28,3 kilomètres aménagé en 1927 et où se déroulent chaque année des courses très réputées.

Bad Ems, station thermale appartenant à l'Etat, est située sur la Lahn, en amont de son confluent avec le Rhin. L'endroit est entré dans les annales de l'histoire par la célèbre «Dépêche d'Ems»: en 1870, Bismarck a pubilé le texte incomplet d'un télégramme que Guillaume Ier de Prusse lui avait envoyé d'Ems. Il s'agissait du refus de reconnaître la candidature de la France au trône d'Espagne.

Le texte publié par Bismarck modifiait le sens de la dépêche; se sentant offensée, la France déclara la guerre.

Poursuivant l'armée française qui battait en retraite, Blücher passa le Rhin au cours de la nuit du ler de l'an 1814 près de la «Pfalz» de Kaub. Plus en aval, près de St Goar, se dresse le célèbre rocher de la Lorelei. A cet endroit, les haut-parleurs des bateaux de touristes ne manquent pas de faire retentir le Lied célèbre composé sur le poème de Heine.

La Sarre

Pages 156–159

La Sarre est devenue le dixième Land de R.F.A. le 1er janvier 1957. Cette importante zone industrielle avait été, pendant plusieurs décennie, sujet de litige entre la France et l'Allemagne. Le Traité de Versailles avait décidé qu'à partir de 1920, la Sarre serait administrée par la Société des Nations; l'administration et l'exploitation du bassin houiller revenaient à la France. Lors du plébiscite de 1935, 90,5% de la population a voté en faveur du rattachement à l'Allemagne. Après la Deuxième guerre mondiale, la Sarre devint, sur l'ordre du gouvernement militaire français, une zone administrative autonome ayant ses propres frontières. Ceci permettait à la France de travailler à bon compte la minette de Lorraine. En 1948 fut conclue l'union monétaire et douanière et, deux ans plus tard, le traité relatif au bassin houiller. Tous deux furent refusés par la population en 1955 et le pays devenait partie de la R.F.A.

Cette longue influence française n'a pas été sans laisser de traces – notamment en ce qui concerne la cuisine; d'où la gamme de produits offerts dans les magasins. La région industrielle de la Sarre manifeste un caractère particulier car le mineur et l'ouvrier sarrois exploitent très souvent une petite ferme. Leurs rapports avec le «pays plat» sont beaucoup plus forts qu'ailleurs. C'est pourquoi, malgré les cheminées d'usines, le paysage de cette région a quelque chose de campagnard.

Sarrebrück, capitale du Land, s'est efforcée de devenir une grande cité moderne. Völklingen est un grand centre industriel (métallurgie, cokeries, centrales thermiques). Le monastère de Mettlach a développé au cours de plusieurs décennies un centre important de fabrication de céramiques. Peu à peu, les ouvriers sont venus s'installer à proximité du monastère. Siesburg fabrique des éléments métalliques, notamment pour la construction. Dillingen possède une industrie lourde importante. Tout ceci n'empêche cependant pas la Sarre d'être une jolie région où il fait bon passer des vacances. Les connaisseurs le savent depuis longtemps. Mais il n'en parlent guère.

Rhénanie du Nord-Westphalie

Pages 160–183

L'origine de ce Land ressort nettement de ses armoiries: à senestre le Rhin, à dextre le cheval, symbole de la Westphalie; à la pointe, la rose de la Lippe. En effet, après la dernière guerre, une partie de la province prussienne du Rhin, la province de Westphalie et la Lippe ont été réunies pour donner naissance au Land de Rhénanie du Nord-Westphalie. Teutoburger Wald au nord-ouest, Siebengebirge au sud, Saureland et Rothaargebirge au sud-est, Eifel au sud-ouest et Hohe Venn à l'ouest – telles sont les limites naturelles de la zone industrielle la plus étendue et la plus importante d'Allemagne, la Ruhr.

L'étranger à la région ne peut que s'en rapporter aux panneaux indicateurs pour savoir, perdu parmi les hauts-fourneaux, les puits de mine, les cités ouvrières, les grands immeubles et les usines, s'il se trouve à Oberhausen, Dortmund, Essen, Wuppertal, Mülheim, Gelsenkirchen ou Duisburg. Il ne faut pas croire, toutefois, que la Ruhr n'est qu'un désert de poussière. Le parc Gruga à Essen ferait honneur à une station thermale élégante. Aux environs du lac Baldeney, on oublie facilement la proximité des puits de mine et des hauts-fourneaux. Et les nombreuses «Promenades» au bord du Rhin (par exemple la célèbre Königsallee à Düsseldorf) sont élégantes, bien entretenues et agréables à l'oeil.

Dans cette région industrielle vivent ces gens que Jürgen von Manger (comique contemporain) a soigneusement observés et qu'il a personnifiés dans «Kumpel Anton» et «Herr Tegtmeier». Un verre de bonne bière – les brasseries sont nombreuses –, quelques pigeons voyageurs, un petit bout de jardin dans la verdure où on se rend pendant le week-end, voilà ce qui caractérise ces gens au fond bien sympathiques. Jamais embarrassés pour répondre, parfois un peu grotesques et souvent brouillés avec la langue littéraire. Dans la région de Lage, Lemgo et Detmold, on fabrique notamment des meubles. Aachen est par excellence la ville du drap; on y fabrique aussi du chocolat et les célèbres «Printen» (sortes de pains d'épices de toutes formes). Aciéries et laminoirs, industries alimentaires, fabriques de détergents constituent les principales activités de Düsseldorf. Située sur le canal de Dortmund à l'ems, Münster est une ville «historique». C'est là que fut signé en 1648 le Traité de Westphalie mettant fin à la Guerre de trente ans. Warendorf sur l'Ems doit sa célébrité à son haras de Westphalie; c'est aussi le siège du Comité national olympique d'équitation. Bünde fabrique des cigares très appréciés.

Les vastes plaines du Rhin inférieur avec leurs grosses fermes typiques des environs de Xanten (cathédrale gothique, 15e – 16e siècles; amphithéâtre romain), de Clèves ou de Wesel ont un caractère bien différent du paysage romantique de la vallée du Rhin au Drachenfels.

Activité intense et quiétude sont plus rapprochées qu'on pourrait le croire. Les châteaux du Rhin inférieur, les immenses fermes plantées telles de petits châteaux au milieu des terres, les moulins à vent, les enclos où s'ébattent les chevaux, les vallées de la Lippe, de la Ruhr, de la Sieg et de l'Ems, tout ceci contribue à faire oublier qu'il s'agit d'une grande région industrielle. Deux mondes qui s'accordent bien – et qui doivent s'accorder.

La Basse Saxe

Pages 184 – 203

La Basse-Saxe est limitée par la Hesse et la Rhénanie du Nord-Westphalie au sud, la Hollande à l'ouest, elle recouvre les territoires de la Frise orientale et s'étend jusqu'à l'Elbe, Hambourg et le Schleswig-Holstein. Autrement dit: la Basse-Saxe comprend l'ancienne province prussienne du Hanovre, Oldenburg, Brunswick et Schaumburg-Lippe. Tandis que les constructions à colombages caractérisent la partie sud, on rencontre autour de Cloppenburg le maisons typiques de la Basse-Saxe avec, au pignon, deux têtes de cheval entrecroisées; en Frise orientale, les chaumières près de la côte et les imposantes constructions en brique des propriétaires terriens plus à l'intérieur.

La Basse-Saxe offre un aspect très varié. Nous y rencontrons les Harz avec ses hauteurs boisées assez abruptes vers le nord et l'ouest; l'immensité de la lande du Lüneburg; la bande côtière fertile de la Frise orientale; des ports tels Emden, Wilhelmshaven, Cuxhaven; des lieux de pêche tels Karolinensiel, Bensersiel, Neuharlingersiel; les îles de Frise orientale: Borkum, Juist, Norderney, Baltrum, Langeoog, Siekeroog, Wangerooge sont chaque été, et même partiellement en hiver, le but de centaines de milliers de personnes; enfin les derricks de la région de l'Ems.

«Altes Land», contrée située entre Harburg, Buxtehude et Stade, voit venir chaque année au printemps de nombreux visiteurs attirés par le magnifique spectacle des arbres fruitiers en fleur. Jambon cru, anguille fumée, pain noir et eau-de-vie sont les spécialités des auberges de l'endroit. Wolfsburg est née autour des usines Volkswagen.

Hanovre, la capitale, est une ville historique et industrielle: caoutchouc, industries alimentaires, industries chimiques, constructions mécaniques. Ce n'est donc pas par hasard que s'y déroule chaque année la plus grande Foire industrielle d'Europe.

Bien d'autres villes également sont riches en tradition: Goslar (château impérial, édifices gothiques et baroques); Hildesheim (cathédrale romane, nombreuses constructions à colombages); Hameln (ville du «preneur de rats», vieilles constructions, moulins) – pour ne citer que quelques exemples. Le territoire de Hanovre devint Electorat en 1692; de 1717 à 1837 union familiale avec l'Angleterre; royaume de 1814 à 1866 et enfin province prussienne.

Célèbre pour ses élevages de chevaux et ses concours hippiques, Verden possède un musée de l'équitation. On ne devrait pas manquer non plus de visiter la cathédrale ($11^e - 15^e$ siècles) et la collection d'objets datant de l'âge de la pierre. Brunswick était jadis ville hanséatique et devait sa prospérité à sa situation favorable sur l'ancienne voie commerciale ouest-est. Parmi les vestiges d'un grand passé, on rencontre notamment une centaine de maisons à colombages ($15^e - 18^e$ siècles) et la cathédrale où se trouve le tombeau d'Henri le Lion.

La Basse-Saxe vit essentiellement de l'agriculture et de l'élevage, de la navigation et de la pêche. A une époque assez récente, on a mis en exploitation des gisements de potasse, de sel, de lignite, de minerai der fer et de pétrole. L'industrie est groupée dans quelques centres autour des grandes villes.

Breme

Pages 204 – 206

De par son étendue (405 kilomètres carrés) et le nombre des habitants, Brême est le plus petit Land de R.F.A. C'est toutefois un Land important. La ville est devenue cité épiscopale en 787 et évêché dès 845. Elle obtenait le droit de marché 120 ans plus tard et figurait au nombre des villes hanséatiques dès 1258. Puis elle devint ville libre en 1646.

C'est de Brême que partit l'évangélisation de l'Allemagne du Nord. Les riches marchands ont contribué à la construction d'édifices imposants dont l'hôtel de ville à la célèbre façade renaissance; Roland, le géant de pierre, semble monter la garde devant. Brême est le deuxième port maritime et un grand port fluvial. Une grande partie du commerce maritime allemand s'y effectue donc: tabac, coton (Bourse du coton), bois, grains et beaucoup de colis de tous genres. Le tabac est travaillé sur place de même que le café et le thé. Constructions navales, importation de vins, argenterie, constructions mécaniques et filatures sont autant de facteurs économiques de poids. L'Institut de navigation maritime s'occupe de la recherche dans ce domaine et l'Ecole de marine assure la formation des marins. La navigation constitue donc pour Brême une activité extrêmement importante.

Plus en aval, à l'embouchure de la Weser, se trouve Bremerhaven. C'est un des premiers ports de pêche européens et c'est aussi le premier port de voyageurs de R.F.A. De nombreux bateaux, trop volumineux pour pouvoir remonter la Weser, abordent à Bremerhaven. Le quai le plus célèbre est sans nul doute le Kolombuskaje. Seule une promenade en bateau peut donner une idée approximative des dimensions du port: immenses halles de vente, conserveries, fabriques de farine de poisson (utilisée pour la nourriture des animaux) et bâtiments administratifs. Tous les ans au début de la saison du hareng, toute la ville célèbre la «fête du hareng». Bremerhaven a tous les caractères d'un port: cafés enfumés, prostituées, marins et visiteurs étrangers. La ville n'est pas particulièrement belle mais fort impressionnante.

Journaux locaux et conversations quotidiennes montrent bien à quel point ces deux villes sont étroitement liées à la mer; il est toujours question de bateaux, de leur arrivée, de leur pays d'origine, de leur destination, de leur chargement et de la date de leur départ.

Hambourg

Pages 207 – 209

C'est à la fois la plus grande ville et le plus petit Land de R.F.A. après Brême. Hambourg est ville hanséatique et ville libre. Bien que situé à plus de 100 kilomètres de la Mer du Nord, c'est le premier port maritime et fluvial d'Allemagne. Les navires géants s'avancent jusqu'au centre de la ville où ils accostent à «Überseebrücke» ou dans le port franc. Ce dernier recouvre à lui seul l'étendue d'une petite ville. Du point de vue douanier, le port franc équivaut à l'étranger. Ses immenses entrepôts renferment les marchandises les lus diverses. Hambourg s'est vraisemblablement développée sur l'ancienne Hammaburg. Cité épiscopale en 831, elle devint archevêché trois ans plus tard. Le traité signé avec Lübeck en 1241 a constitué les premières bases de la hanse. Devenue ville libre en 1510, Hambourg s'est vu rattacher en 1837 plusieurs communes environnantes. Elle possédait en 1914 la plus grande société de transports maritime du monde, la H.a.p.a.g. Aujourd'hui, toutes les sociétés de transports maritimes importantes ont leurs bureaux à Hambourg et les bateaux qui touchent ce port viennent de toutes les parties du monde. C'est pour les uns «la porte vers le monde» tandis que d'autres l'appellent «entrée des fournisseurs» — deux notions parfaitement exactes l'une et l'autre.

Hambourg possède, cela va sans dire, une industrie active: conserves de poisson, fabriques de cigares et cigarettes, minoteries, constructions mécaniques, industries alimentaires et, bien entendu, constructions navales (Stülcken, Blohm et Voss). Cette ville-état est un des plus riches Länder de R.F.A. Aussi le trésor public peut-il se montrer généreux quand il s'agit d'aménager écoles, hôpitaux, routes, moyens de communication et espaces verts. La construction incessante de colosses abritant bureaux, magasins et entreprises industrielles oblige un nombre d'habitants toujours croissant à abandonner leur ville pour aller s'installer en périphérie. Le centre ville est désert à partir de 19 heures; tout le monde se dirige alors vers les faubourgs, la banlieue et parfois même jusque dans la Lüneburger Heide et l'Altes Land.

Un quartier s'éveille alors: Sankt Pauli avec sa célèbre Reeperbahn. Danseuses de strip-tease, prix exorbitants, prostituées et existences douteuses constituent un monde éveillant l'intérêt de nombreux visiteurs. Les environs de Hambourg ne manquent pas de charme: Sachsenwald (avec le château de Friedrichsruhe où repose Bismarck); Vierlanden, à la frontière de la R.D.A.; la Lande, l'Altes Land, les lacs du Holstein et la Mer Baltique. En aval se trouvel «Willkommhöft», endroit où on salue les bateaux. On hisse le drapeau et on joue l'hymne nationale du pays d'origine de tous les bateaux qui passent là — dans un sens ou dans l'autre. Le visiteur y apprend qui vient à Hambourg et de qu'il y apporte.

Le Schleswig-Holstein

Pages 210 – 231

C'est le pont jeté entre l'Allemagne et la Scandinavie. Il est limité par la Mer du Nord à l'ouest, la Baltique à l'est et le Danemark au nord. Les «têtes de pont» au sud sont Hambourg et Brême. Le Schleswig-Holstein est le seul Land «à trait d'union» à posséder une tradition. On vit en effet dès 1386 le duché de Schleswig s'unir au comté de Holstein (qui devint également duché en 1474). Les deux bandes côtières et les îles se sont consacrées au tourisme: Sylt, Amrum, Husum, Büsum et, de l'autre côte, Travemünde, Timmendorf, Fehmarn, Eckernförde, Glücksburg. Agriculture et élevage jouent également un rôle important dans l'économie de la région. De même, bien entendu, la pêche et la navigation côtière. Le canal de la Mer du Nord à la Mer Baltique traverse le pays entre Kiel et Brunsbüttelkoog. Cette voie navigable longue de 99 kilomètres et large d'environ 100 mètres est la plus fréquentée qui soit. Près de Rendsburg, la voie ferrée traverse le canal sur un viaduc haut de 42 mètres; quant à la circulation routière, elle emprunte le nouveau tunnel. Les calanques près de Flensburg, Schleswig, Eckernförde et Lübeck offrent des conditions idéales pour les pêcheurs et les bateaux. Chantiers navals et conserveries de poisson s'y sont installés de même que les principales entreprises industrielles du pays.

Port de pêche situé sur la Schlei, Schleswig possède dans sa cathédrale gothique (1268 – 1711) le célèbre retable de Bordesholm, œuvre de Maître Hans Brüggemann. Le musée du château de Gottorp renferme des objets intéressants remontant aux temps préhistoriques et toutes sortes de curiosités d'époques ultérieures. Le paysage vallonné et parsemé de lacs de la région située entre Kiel et Lübeck a valu à cette dernière le nom de «Suisse du Holstein». Plön, Malente et Eutin en sont les principaux centres. Le célèbre compositeur Carl Maria von Weber a vécu à Eutin. Heide appartenait jadis à la «république paysanne» de Dithmarschen. Aujourd'hui, on y rencontre une raffinerie de pétrole. Theodor Storm a grandi à Husum, la «ville grise au bord de la mer». Capitale du Land, Kiel voit se dérouler chaque année des compétitions de yachting très cotées et connues sous le nom de «Kieler Woche». C'est là qu'ont été disputées en 1972 les épreuves de yachting des XXe Jeux Olympiques.

Qu'ils viennent ici en été ou en hiver, les visiteurs trouvent toujours de quoi satisfaire leur curiosité: les nombreux bateaux sur mer ou dans les ports, les immenses plages de sable où s'ébat une foule multicolore, les vaches noires et blanches typiques de la région, les costumes folkloriques de Wyk sur l'île de Föhr, le château de Glücksburg qui se mire dans les eaux qui l'entourent, les innombrables églises fortifiées, les moulins à vent, les propriétés avec leurs demeures cossues et les petites maisons basses des pêcheurs. Le programme touristique est de plus en plus riche: logis toujours plus confortables, accroissement du nombre des piscines couvertes, centres de cure, programmes de divertissements. N'oublions pas de mentionner le succès des spécialités de la région: pâtes d'amandes de Lübeck, rhum de Flensburg et autres eaux-de-vie, sprats fumés, anguilles fumées et diverses spécialités de poisson que l'on sert également dans les petites auberges de campagne. Il est très intéressant aussi, le soir venu, de se rendre dans un petit café de pêcheurs et d'observer les discussions des habitués.

Berlin

Pages 232–235

Ancienne capitale du Reich et siège gouvernemental pendant plusieurs décennies, Berlin a acquis durant cette période une renommée mondiale. L'enfer qui s'abattit sur la ville au cours des dernières semaines de la Deuxième guerre mondiale a réduit en cendres la majorité de ce qui avait constitué la grandeur de cette métropole. La tempête apaisée, plus de trois millions étaient encore là, désireux de vivre en paix et de goûter plaisirs et divertissements.

En juin 1945, les vainqueurs ont divisé Berlin en quatre secteurs d'occupation. Désormais, la ville était placée sous le contrôle exclusif des quatre puissances. Les quatre «Commandants» aménagèrent un «Commandement interallié» chargé de l'administration et transmirent une grande partie des tâches administratives au «Magistrat» allemand. Berlin – une unité. Malheureusement, des dissensions se manifestèrent vite entre les Alliés et cette unité fut de courte durée.

En juin 1948 (réforme monétaire) on assista à une scission dans la vie politique et l'administration de la ville; d'où le Blocus de Berlin. Les principales voies d'accès restèrent fermées jusqu'en mai 1949. Tout ce qui était indispensable à la vie de cette ville dut être transporté par avion, d'où le nom de Pont aérien allié qui a été donné à cette entreprise. Ce blocus avait pour but d'obliger les puissances occidentales à abandonner leurs secteurs. Berlin-Est fut rattaché à la R. D. A. lors de la création de cette dernière en 1949. De son côté, Berlin-Ouest se vit rattacher – en ce qui concerne législation, économie et finances – à la R. F. A. Dès lors, cette partie de la ville connut un essor économique rapide.

Puis vint le 13 août 1961 et l'aménagement du «Mur». La division de Berlin était désormais parfaite. Il faudra attendre les Accords de Berlin (3 septembre 1971) pour voir diminuer l'isolement, ces accords permettant aux habitants de Berlin-Ouest de se rendre de nouveau dans l'est de la ville et en R. D. A.

Deux blocs où règne un ordre social très différent veulent se documenter dans cette ville. Absolument intégré au système économique et financier de la République Fédérale, Berlin-Ouest ne souffre pas de cet état de choses. D'autre part, sur le plan juridique, son unité avec le gouvernement de Bonn est assurée. Tous ces liens sont garantis par les accords interalliés de 1971. Ces derniers garantissent en outre le libre accès de Berlin par trois corridors aériens, huit voies ferrées, cinq routes et deux voies navigables.

L'observateur neutre doit reconnaître de bonne foi que les deux parties ont fait d'immenses efforts. Beaucoup de choses ont été réalisées – d'autres restent à améliorer. Sur le plan économique et culturel, les performances atteintes par cette ville – de part et d'autre du «Mur» – sont considérables.

L'humour, la répartie facile et la manière de vivre ayant toujours caractérisé les Berlinois ont persisté des deux côtés. Sans doute ces traits de caractère ont-ils aidé les habitants à surmonter pendant de longues années les difficultés entraînées par leur situation entre les deux blocs.

La République Démocratique Allemande

Pages 236–263

La frontière occidentale de l'«autre Allemagne» – la République Démocratique Allemande – commence à la côte de la Mer du Nord près de Lübeck, descend vers l'Elbe jusqu'à Lauenburg (station frontière) et se dirige vers le sud, longeant la Basse-Saxe puis la Hesse. Elle atteint la Bavière du Nord puis la frontière tchécoslovaque. A l'est de Dresde, elle bifurque brusquement vers le nord, suivant la Neisse puis l'Oder jusqu'à Stettin. La Mer Baltique et les îles côtières la limitent au nord.

Autrement dit: le 7 octobre 1949, Brandebourg, Mecklembourg-Poméranie occidentale, Saxe, Saxe-Anhalt et Thuringe ont été réunis pour constituer un Etat nouveau décentralisé appelé République Démocratique Allemande. Depuis 1952, la R.D.A. est un Etat centralisé composé de 14 districts: Potsdam, Cottbus, Francfort/Oder (Brandebourg); Rostock, Schwerin, Neubrandenburg (Mecklembourg-Poméranie occidentale); Chemnitz, Dresde, Leipzig (Saxe); Halle, Magdebourg (Saxe-Anhalt); Erfurth, Gera, Suh (Thuringe). Il s'agit d'un état socialiste allemand. Tels sont les termes de l'article 1 de sa constitution.

Voilà en ce qui concerne la géographie et l'organisation politique du pays.

Depuis la création de la R.D.A. en 1949, la capitale en est Berlin-Est. C'est d'ailleurs là que se trouve le centre historique de l'ancienne capitale allemande: Porte de Brandebourg, Opéra, Arsenal, écuries royales, «Rotes Rathaus», «Schlütersche Wache», maison Ribbeck, église Ste Edwige, avenue «Unter den Linden», université Wilhelm von Humboldt, île du musée où l'on peut admirer de magnifiques collections d'art (autel de Pergame), enfin le «Gendarmenmarkt», immortalisé par le peintre Adolf Menzel. C'est là aussi qu'on retrouve le «milljö»» (ambiance typique) de Heinrich Zilles.

La Place Alexandre a été modifiée; elle se prolonge maintenant jusqu'à la Place Lénine et l'hôtel géant «Ville de Berlin (35 étages) par une avenue large de 120 mètres, la Karl-Marx-Allee. Tout cela est dominé par la tour de télévision; haute de 361 mètres, elle occupe la deuxième place mondiale.

Ce n'est sûrement pas pour des raisons politiques que les «frères de l'est» ont toujours été un peu regardés de haut par les habitants de la R.F.A. Cela vient sans doute du fait que, dès les premières années de l'après-guerre, les «parents riches» d'Allemagne de l'ouest pouvaient profiter d'une économie libre – ce qui n'était pas le cas à l'est. Ce n'est pas le manque de diligence qui entre en cause mais peut-être le système économique et social basé sur le fait que tous les moyens de production importants sont propriété du peuple ou propriété coopérative. Mais nous n'avons pas l'intention de nous attarder ici aux conceptions économiques. Aux spécialistes d'en faire la comparaison.

Il suffit toutefois de se rendre à la célèbre Foire industrielle de Leipzig pour constater que le «premier état de travailleurs et de paysans» occupe un rang économique important. Ce fait se manifeste aussi dans une vote d'exportations relativement élevée. Le niveau de vie des habitants de la R.D.A. est d'ailleurs nettement supérieur à celui d'autres pays du bloc oriental. Un fait est certain: là aussi, la R.D.A. occupe une position particulière.

Ce petit pays, avec ses quelque 17 millions d'habitants répartis sur 108000 kilomètres carrés, occupe le 9e rang mondial parmi les puissances industrielles et le 5e rang en Europe.

On a rattrappé depuis 1961 une grande partie du retard survenu dans le domaine de la construction. On y trouve le pendant des villes-satellites de R.F.A., par exemple Calbe (usines métallurgiques de l'ouest); Lauchhammer (lignite, cokeries); Rostock (Reutershagen, Lüttenklein et Südstadt, docks et port maritime); Stralsund (Kniepervorstadt, chantier naval polulaire); Eisenhüttenstadt (combinat des usines métallurgiques de l'est); Hoyerswerda (combinat houiller «Schwarze Pumpe»); Schwedt (raffinerie); et finalement Halle-Neustadt (Halle-ouest), ville de l'industrie chimique. Halle mise à part, toutes ces villes satellites sont des agglomérations sans administration propre.

Pour le visiteur venu de l'ouest, le «frère vivant dans l'autre Allemagne», les données purement géographiques sont sans doute plus intéressantes. Inutile d'évoquer les immenses plages des bords de la Mer Baltique. Tout le monde les connaît, que ce soit en réalité ou par l'image. Moins célèbres mais tout aussi attrayantes: les régions des lacs du Mecklembourg et de la Marche, jadis buts d'excursion préférés des Berlinois.

Nous avons en outre le Harz romantique avec le Brocken, les Monts de Thuringe et l'Erzgebirge. Pour apprécier vraiment le charme de ces zones montagneuses, rien de tel qu'une excursion ou une randonnée à skis. Non loin de Dresde, l'Elbsandsteingebirge a toujours fait la joie des amateurs d'alpinisme. Les aiguilles rocheuses aux formes bizarres attirent beaucoup d'adeptes de ce sport pendant le week-end.

On conserve aussi avec beaucoup de soin les témoins d'époques écoulées. Sur l'île de Rügen se dressent encore les fortifications de Jaromarsburg, château wende situé près du cap Arkona. A Görlitz, nous nous trouvons en présence de vieilles fortifications remontant à l'âge du bronze. A Erfurt, le pont appelé Krämerbrücke est une réminiscence du commerce effectué jadis entre l'ouest et l'est. Nombre d'édifices historiques ont été irrémédiablement détruits par la guerre. On s'est toutefois efforcé, lors de la reconstruction, d'en refaire certains selon les plans d'origine. C'est le cas à Potsdam pour Sans-Souci, le célèbre château de Frédéric II construit par Knobelsdorff, le Nouveau Palais et l'Orangerie. A Stralsund, la vieille ville toute entière e été classée monument historique.

Wittenberg, la ville de Luther, se montre de nouveau telle qu'elle était au moment de la Réforme. A l'église Notre-Dame, édifice de style gothique, on peut encore admirer le baptistère de Lucas Cranach et Hermann Vischer, un chef-d'œuvre célèbre dans le monde entier. A Quedlinburg se dressent encore la cathédrale (romane à l'origine), l'hôtel de ville renaissance et nombre de maisons patriciennes aux façades richement ornées (colombages typiques de la Basse-Saxe). Le caractère médiéval de Schmalkalden a également survécu aux coups de la guerre. A Weimar, on a reconstruit tous les emplacements célèbres, témoins de l'activité de Goethe, Schiller, List, Cranach, Herder et Wieland.

De par son caractère international (Foire), Leipzig a toujours occupé une place à part. Mais les autres villes s'efforcent de rattrapper leur retard. Par exemple Dresde. On y a effectué des reconstructions fidèles d'après d'anciennes toiles de Canaletto. Les collections importantes sont maintenant exposées à leur ancienne place («Grünes Gewölbe», Galerie de tableaux, collection de porcelaines). Pour mieux faire ressortir le caractère artistique de Dresde, on y a construit l'édifice culturel le plus moderne de toute la R. D. A.

Là aussi, nous devons nous limiter à un aperçu succinct des principales données géographiques et culturelles. Il resterait beaucoup à mentionner: les nouvelles agglomérations qui naissent un peu partout; les écoles parfaitement aménagées et l'excellente formation des jeunes; les magnifiques produits de l'imprimerie, véritables chefs-d'œuvre très cotés (par exemple l'«Atlas des Grands Electeurs» et de nombreuses autres œuvres d'un grand intérêt culturel); les loyers relativement bas et les prix acceptables des produits alimentaires de base.

Ceux qui se rendent en R. D. A. ne devraient pas faire trop attention à certaines coutumes politiques et ne pas considérer d'un œil trop critique un mode de vie parfois différent.

Disons-nous bien que les gens qui vivent dans ce pays veulent y vivre et doivent y vivre.

«Une nouvelle chose qui naît d'une ancienne en la surmontant au lieu de l'ignorer». Voilà peut-être l'aspect caractéristique de notre époque. Et tous devraient construire sur ces bases.

Verzeichnis der Bilder *Index of Pictures — Index des photographies*

Tübingen	*Otto Siegner*	107
Travemünde	*P. Klaes*	212
Ulm	*A. Brugger*	111
Urach	*P. Klaes*	112
Wartburg	*K. Droste*	248
Wasserburg	*Otto Siegner*	65
Watzmann	*Otto Siegner*	67
Weilburg	*G. Klammet*	135
Weimar	*Droste*	247
Werder	*K. Lehnartz*	239
Wernigerode	*Max Baur*	244
Wetzlar-Lahn	*M. Jeiter/F. Schirk*	138
Wiesbaden	*J. Jeiter*	120
Wilhelmshaven	*W. Krysl*	203
Wittenberg	*Staatl. Bildstelle/VLS*	243
Wolfenbüttel	*R. Hallensleben*	190
Wolfsburg	*AERO-Lux*	195
Worms	*Kulturinstitut*	142
Würzburg	*Otto Siegner*	77
Wuppertal	*Otto Siegner*	168
Wyk	*Otto Siegner*	223

Die Luftaufnahmen wurden freigegeben:

Seite 69 Nr. G 4/182, Seite 71 Nr. G 4/18997, Seite 72 Nr. G 4/654, Seite 75 Nr. G 4/2624, Seite 78 Nr. G 4/2624, Seite 91 Nr. G 4/18545 von Reg. von Oberbayern – Seite 92 Nr. 2/23604, Seite 111 Nr. 2/12644, Seite 114 Nr. 2/2829, Seite 119 Nr. 47/42, Seite 139 Nr. 2/21892, Seite 145 Nr. 2/23462, Seite 219 Nr. 2/22163 vom Innenministerium Baden-Württemberg – Seite 179 Nr. 5372 vom Reg.-Präs. Düsseldorf – Seite 195 Nr. 1184/68 vom Reg.-Präs. Darmstadt – Seite 202 Nr. 248/58, Seite 214 Nr. 2254, Seite 217 Nr. 3380 vom Nieders. Minist. f. Wirtsch. u. Verkehr – Seite 210 Nr. 206 unter SH-NF.

 – Verlags-Nr. 678. Bisherige Auflage: 280000 Exemplare. – Erich Pfeiffer-München besorgte die typographische Gestaltung und zeichnete die Karte. Christine H. Rupp übernahm die englische und Jacqueline von Mengden die französische Übersetzung. Bei der Beschaffung der Aufnahmen waren u. a. der Bavaria-Verlag und die Bildagenturen Kinkelin und Mauritius behilflich. – Gesamtherstellung: R. Oldenbourg, Graphische Betriebe GmbH, München.
ISBN-3-7972-0028-5

Printed in Germany – Imprimé en Allemagne

Vorderer Überzug:

Limburg an der Lahn,
alte Bischofsstadt
mit engen Gassen
und verträumten
Winkeln, überragt
von dem siebentürmigen
spätromanischen Dom
aus dem 13. Jahrhundert

Limburg on Lahn,
the ancient seat of a bishopric.
The 13th-century Late-
Romanesque Cathedral with
its seven towers overtops the
narrow alleys and quaint
nooks of the old town

Vieille ville épiscopale
aux ruelles étroites, Limburg
sur la Lahn est dominée
par l'imposante silhouette
de sa cathédrale aux sept
oturs (13ᵉ s.)

Hinterer Überzug:

Jagdschloß Moritzburg,
im 16. Jahrhundert
entstanden. 1723 – 1736 von
Poppelmann erweitert,
dient heute als Barock-
museum

The hunting castle of Moritzburg
was built in the 16th century
and extended 1723 – 1736 by
Poppelmann; nowadays it is
used as a Baroque museum

Moritzburg était à l'origine un
pavillon de chasse aménage
au 16ᵉ siecle. Agrandi par
Poppelmann de 1723 à 1736,
c'est aujourd'hui un
musée de l'art baroque

München – die Hauptstadt Bayerns. Eine glückliche Verbindung vielfältigen, bayerischen Wesens mit dem heiteren Geist des Südens. Hofgarten und Theatinerkirche

Munich – the capital of Bavaria. A happy combination of the complex Bavarian character with the gaiety of the South. Palace Gardens and Theatine Church

Munich – capitale de la Bavière. Combinaison heureuse entre le caractère bavarois si varié et l'esprit enjoué du sud. Jardins de la Résidence et église des Théatins

CARL THOMASS

München – Olympia 1972.
Prunkstück: Das größte und teuerste Dach der Welt

Munich – the 1972 Olympics. The showpiece is the stadium roof, the largest and most expensive roof in the world

Munich – ville des Jeux Olympiques 1972. Nouveau signe caractéristique: la toiture la plus vaste et la plus chère qui soit

◀ Das Rathaus wurde nach flandrischen Vorbildern von 1867 bis 1908 von Georg Hauberrisser geschaffen

The town hall was built by Georg Hauberrisser between 1867 and 1908 in the Flemish style

Erigé de 1867 à 1908 par Georg Hauberrisser, l'hôtel de ville est inspiré par des constructions flamandes du même genre

Garmisch-Partenkirchen, am Fuße des Wettersteingebirges, mit Deutschlands höchstem Berg, der Zugspitze (2963 m)

Garmisch-Partenkirchen, at the foot of the Wetterstein Mountains, with Germany's highest peak, the Zugspitze (9,738 ft)

Garmisch-Partenkirchen, localité située au pied du massif du Wetterstein; le point culminant de ce massif – et le plus haut sommet d'Allemagne – est la Zugspitze (2963 m)

Schloß Neuschwanstein, die Gralsburg des unglücklichen Bayernkönigs, in wild-schöner Lage über der Pöllatschlucht, Touristenattraktion Nummer 1 in Bayern

Neuschwanstein Castle in its wild and lovely setting high above Pöllat Gorge is one of the many castles built by the unfortunate Bavarian king, Ludwig II. Nowadays it is Bavaria's biggest tourist attraction

Le château de Neuschwanstein, produit de l'imagination de l'infortuné Louis II, s'élève majestueux au-dessus d'une gorge sauvage, la Pöllatschlucht. C'est l'une des principales attractions touristiques de Bavière

In Oberbayern, wo am Brauchtum festgehalten und die Tracht in Ehren getragen wird, weiß man die Feste mit zünftiger Blasmusik zu feiern

In Upper Bavaria, where tradition is upheld and the local costume faithfully worn, no celebration is complete without a proper brass band

En Haute-Bavière, on cultive la tradition et on porte le costume régional; l'orchestre folklorique est toujours de la fête

Linderhof, das Märchenschloß König Ludwigs II., ein Zauberbild königlicher Wünsche, ein blumenduftendes Lächeln inmitten der Wälder und Berge

Linderhof, the fairy-tale castle of King Ludwig II is a royal dream come true in its charming setting amid the woods and mountains

Linderhof, château féerique du Roi Louis II, apparition enchanteresse née du bon plaisir du monarque, un sourire enrichi du parfum des fleurs, au milieu des forêts et des montagnes

Die Benediktinerabtei Ettal, gegründet von Kaiser Ludwig dem Bayern (1330); aus dem gotischen Urbau wurde ein barockes Juwel

The famous Benedictine abbey at Ettal, founded by the Emperor Ludwig the Bavarian in 1330;the original Gothic building was later transformed into a masterpiece of baroque architecture

Ettal, célèbre abbaye bénédictine fondée en 1330 par l'empereur Louis le Bavarois; de l'édifice gothique d'origine est né un joyau de l'art baroque

Wasserburg am Inn, typisches und guterhaltenes Innstädtchen, einst Umschlagplatz an der Salzstraße

Wasserburg on the Inn, a well-preserved little town typical of the valley, was once a salt-trading centre

Wasserburg sur l'Inn, petite ville typique ayant conservé son caractère; autrefois, ville marchande sur la route du sel

Schliersee, mit seinem anmutigen See und seinen Bergen, ein bekanntes Ferienziel in Oberbayern

Schliersee, on the charming lake of the same name and surrounded by mountains, is a popular holiday resort in Upper Bavaria

Le lac et les sommets environnants contribuent à accroître le charme de Schliersee, localité de Haute-Bavière très recherchée par les villégiateurs

St. Bartholomä am Königssee und die berühmte Watzmann-Ostwand, bei einer Höhe von 1800 m die höchste Wand der Ostalpen

St. Bartholomä on Königssee, and the notorious Watzmann East Wall; with a rise of 5,906 ft, it is the highest rock face in the Eastern Alps

St-Bartholomé au bord du Königssee et le célèbre versant est du Watzmann; haute de 1800 mètres, cette paroi rocheuse est la plus importante des Alpes Orientales

Zu den besterhaltenen altbayerischen Städtegründungen zählt die ehem. Römersiedlung Straubing

Straubing, a Roman settlement, is one of the best-preserved of the old Bavarian towns

Straubing, ancienne cité romaine, compte parmi les vieilles villes les mieux conservées de Bavière

◀ Anger, Luftkurort im Berchtesgadener Land, ist durch seine ausgezeichnete Lage und als schönstes Dorf Bayerns bekannt

Anger, a climatic health resort in the Berchtesgaden area, is well-known as the prettiest village in Bavaria with a most attractive setting

Anger, station climatique des environs de Berchtesgaden, jouit d'un site pittoresque; cette localité est considérée comme le plus beau village de Bavière

Passau: Noch auf die Kelten läßt sich die Gründung der ehrwürdigen Bischofsstadt zurückführen, die sich über dem Zusammenfluß von Donau, Inn und Ilz erhebt

Passau, a venerable cathedral town rising above the confluence of the Danube, the Inn, and the Ilz, was founded by the Celts

La fondation de la vénérable ville épiscopale de Passau remonte à l'époque des Celtes. Cette ville s'élève au confluent de trois cours d'eau, le Danube, l'Inn et l'Ilz

Das fast 2000jährige Regensburg an der Donau mit seinem überragenden gotischen Dom (Beginn 1250)

Almost 2,000 years old, Regensburg on the Danube, with its soaring Gothic cathedral begun in 1250

Ratisbonne, ville construite sur le Danube il y a près de deux mille ans, possède une magnifique cathédrale gothique commencée en 1250

Ingolstadt, alte Festungsstadt an der Donau, Sitz bedeutender Werke der Automobil- und Ölindustrie

Ingolstadt, an ancient citadel on the Danube, now a centre of the motor-car and oil-refining industries

Ingolstadt, vieille ville sur le Danube, est le siège d'importantes industries automobiles et de raffineries

Nürnberg — großes Kapitel deutscher Geschichte. Der Schöne Brunnen und die um 1350 erbaute Frauenkirche am Hauptmarkt der alten deutschen Reichsstadt

Nuremberg has important historical associations. The Schöner Brunnen (Fair Fountain) and the Church of Our Lady (about 1350) in the main market square of this old German imperial city

Nuremberg — un chapitre important dans l'histoire de l'Allemagne. La Belle Fontaine et l'église Notre-Dame (vers 1350) sur la Place du Marché de l'ancienne ville impériale

Im barocken Erlangen mit einer namhaften Universität und aufstrebender Industrie steht dieses moderne Rathaus

The modern town hall in the baroque town of Erlangen, noted both for its university and its thriving industries

Ce gigantesque building moderne se dresse à Erlangen, ville universitaire au caractère baroque et qui est maintenant en plein essor industriel

Amberg, bereits 1034 urkundlich genannt, war im Mittelalter durch Handel und Bergbau führend, im 17. Jahrhundert zeitweilig kurpfälzische Residenz

Amberg, mentioned as early as 1034, was an important trading and mining town in the Middle Ages, and the residence of the Electors Palatine for a time in the 17th century

Déjà mentionnée dans des documents remontant à 1034, Amberg a joué au Moyen Age un rôle important grâce au commerce et à l'exploitation de mines. Au 17e siècle, elle fut pendant quelques temps résidence des princes-électeurs du Palatinat

Bamberg, die Schatzkammer Frankens. Ein Jahrtausend deutscher Geschichte und Kultur werden hier lebendig. Das Alte Rathaus auf der Regnitzbrücke wurde 1750 erbaut

Bamberg, the treasure house of Franconia, which keeps alive a thousand years of German history and culture. The old town hall on Regnitz Bridge was built in 1750

Bamberg, trésor de la Franconie. Mille ans d'histoire et de culture allemande y redeviennent vivants. L'ancien hôtel de ville sur le pont de la Regnitz a été construit en 1750

Oberhalb Würzburgs erhebt sich die Feste Marienberg, ehemals bischöfliches Domizil

The fortress of Marienberg, formerly the bishop's residence, stands in a commanding position overlooking Würzburg

Dominant Wurtzbourg, la forteresse Marienberg qui était jadis le domicile de l'évêque

Wuchtig überragt die Festung die ehemalige herzogliche Residenzstadt Coburg in Oberfranken

Coburg in Upper Franconia, overlooked by its massive fortress, used to be the residence town of the dukes of Saxe-Coburg

La silhouette massive de la forteresse domine Cobourg, ancienne résidence ducale de Haute Franconie

Schweinfurt: Das Rathaus der alten Reichsstadt, 1570 – 72 erbaut, ein Glanzstück der deutschen Renaissance

The town hall of Schweinfurt, an ancient imperial town, was built between 1570 and 1572 and is a glorious example of German renaissance architecture

Schweinfurt: Construit de 1570 à 1572, l'Hôtel de Ville de cette ancienne ville libre compte parmi les plus belles réalisations du style Renaissance allemand

80 Aschaffenburg. Fast völlig wiederhergestellt ist das mächtige Renaissanceschloß Johannisburg (1614)

The huge renaissance palace of Johannisburg at Aschaffenburg, whose restoration is now almost complete, was built in 1614

A Aschaffenbourg, le magnifique château Renaissance «Johannisburg» (1614) est presque entièrement reconstruit

Eine Perle Mainfrankens ist das verträumte Miltenberg mit seinen Fachwerkhäusern und dem „Schnatterloch“ am Marktplatz

The dreamy little town of Miltenberg, with its timbered houses in the market square, is one of the treasures of Franconia

Miltenberg, petite ville rêveuse, est une des perles de la Franconie; ici, les maisons à colombages de la place du marché et le «Schnatterloch»

Rothenburg ob der Tauber: Sinnbild des Mittelalters – Rödergasse und Markusturm

At Rothenburg ob der Tauber, the Rödergasse and St. Mark's Tower transport us back to the Middle Ages

Rothenburg-ob-der-Tauber: la Rödergasse et la tour St-Marc symbolisent le Moyen Age

Ansbach ist voller barocker Spuren seiner markgräflichen Blütezeit. Die spätgotischen Türme der 1100jährigen Stiftskirche St. Gumbert entstanden im 15. und 16. Jahrhundert

The many baroque buildings in Ansbach date back to its heyday under the margraves. The Late Gothic towers of the 9th-century collegiate church of St. Gumbert were added in the 15th and 16th centuries

Ansbach est riche en vestiges baroques remontant à l'époque des margraves. La collégiale de St-Gumbert a maintenant 1100 ans. Ses tours gothiques ont été érigées aux 15e et 16e siècles

Dinkelsbühl. Ein mittelalterliches Juwel Deutschlands ist die an Giebeln, Türmen und Mauern reiche, tausendjährige Stadt

Dinkelsbühl, with its abundance of medieval gables, towers and walls, is one of the prettiest towns in Germany

Dinkelsbühl. Véritable joyau de l'époque médiévale, cette ville millénaire possède encore nombre de pignons, tours et remparts

Die berühmte „Knabenkapelle" der ehemaligen Reichsstadt Dinkelsbühl

The famous "Boys' Band" at Dinkelsbühl, formerly an imperial town

Un orchestre célèbre, la «Knabenkapelle» de Dinkelsbühl, ancienne ville d'empire

Augsburg: Perlachturm und das bedeutende Rathaus der Renaissance von E. Holl (1620) sind Zeugnisse einer großen weltgeschichtlichen Vergangenheit

In Augsburg, the Perlach Tower and the notable renaissance town hall built by E. Holl in 1620 testify to the city's important historical role

Augsburg: la tour Perlach et l'hôtel de ville renaissance construit par E. Holl en 1620 sont les témoins d'un passé historique glorieux

Das schöne Stadtbild von Neuburg an der Donau geht vor allem auf die pfalzgräfliche Zeit zurück

The fine buildings of Neuburg on Danube mostly date back to the days of the counts palatine

Neuburg sur le Danube doit beaucoup de son caractère à l'époque des comtes palatins

Landsberg, schwäbisch-bayerische Grenzstadt am Lech, umgeben von einem Mauerring des 13. – 15. Jahrhunderts. Das Bayertor (1425) zählt zu den schönsten gotischen Toren Deutschlands

Landsberg on Lech, on the border between Upper Bavaria and Swabia, is enclosed by a town wall dating from the 13th to 15th centuries. The Bayertor (1425) is one of the finest Gothic town gates in Germany

Landsberg, ville frontière entre la Bavière proprement dite et la Souabe; les remparts ont été aménagés aux 13e et 15e siècles. Construit en 1425, le Bayertor est une des plus belles portes gothiques d'Allemagne

88

Memmingen. Das prachtvolle Rathaus der alten Reichsstadt ist Zeugnis traditionellen Gewerbefleißes

The splendid town hall (1589) in the old imperial town of Memmingen testifies to the traditional industry of its craftsmen

Memmingen. Le magnifique hôtel de ville de l'ancienne ville impériale témoigne d'une diligence artisanale traditionnelle

Eine der gewaltigsten Kirchen des Rokokos, die des seit 764 bestehenden Klosters Ottobeuren (1766)

This splendid rococo church (1766), one of the vastest ever built, belongs to Ottobeuren Abbey, which was founded in 764

Une des plus imposantes églises baroques; elle a été érigée en 1766 comme église abbatiale à Ottobeuren, monastère fondé en 764

Kempten, Hauptort des Allgäus.
Die ehemalige Stiftskirche St. Lorenz, der erste große süddeutsche Kirchenbau nach dem Dreißigjährigen Kriege

Kempten, the chief town of the Allgäu.
The old abbey church of St. Lorenz, the first large ecclesiastical building erected in South Germany after the Thirty Years' War

Kempten, principale ville de l'Allgäu.
St-Laurent, ancienne église abbatiale et première grande église érigée en Bavière après la Guerre de trente ans

Lindau, malerisch auf einer Insel im Bodensee gelegen, besitzt beachtliche Zeugen aus reichsstädtischer Zeit

Lindau, picturesquely situated on an island in Lake Constance, has numerous monuments recalling its days as an independent imperial town

Lindau, ville pittoresque installée sur une île du lac de Constance, possède encore nombre de témoins de son passé de ville impériale

Karlsruhe, steingewordene Laune eines badischen Fürsten. Im Mittelpunkt das Schloß von 1752

Stuttgart, die Großstadt „zwischen Wald und Reben", Hauptstadt des Landes Baden-Württemberg. Blumenmarkt mit Stiftskirche und Schillerdenkmal

Karlsruhe, the architectural whim of a margrave of Baden. In the centre, the palace built in 1752

Stuttgart, set amid rolling forests and vineyards, is the capital of Baden-Württemberg. The flower market round the Schiller Monument by the collegiate church

Karlsruhe — un prince badois a transformé un caprice en pierre. Au centre, le château construit en 1752

Stuttgart, grande ville bâtie «entre la forêt et les vignobles», est la capitale du Land de Bade-Wurtemberg. Marché aux fleurs, église collégiale et statue de Schiller

Ratskeller

Erinnerung an die Residenzstadt Rastatt: das Schloß, liebenswerter italo-wienerischer Barock

The charming baroque palace at Rastatt, reminiscent of the town's former splendour as the residence of the margrave of Baden

Réminiscence de l'ancienne ville résidentielle qu'était Rastatt: le château, édifice construit en style baroque italo-viennois

◀ Pforzheim, weltbekannte „Goldstadt" und „Pforte des Schwarzwaldes"

Pforzheim, gateway to the Black Forest and well-known for its jewellery throughout the world

Pforzheim, ville célèbre pour son orfèvrerie, est à la fois une des portes de la Forêt-Noire

Das malerische Altensteig, dessen Giebelhäuser sich hangaufwärts um die mittelalterliche Burg drängen

The little town of Altensteig is a picturesque sight with the gabled houses clustering on the slopes up to the medieval castle

Une bourgade charmante: Altensteig; les maisons à pignon se pressent sur le versant autour de la forteresse moyenâgeuse

Freudenstadt – einer der besuchtesten Fremdenorte im Schwarzwald. Die in ihrer Anlage etwas seltsam wirkende Stadtkirche wurde 1601 – 1608 errichtet

Freudenstadt – one of the most popular tourist centres in the Black Forest. This unusual-shaped town church was constructed 1601 – 1608

Freudenstadt figure au nombre des centres touristiques les plus recherchés de la Forêt-Noire. De forme curieuse, l'église paroissiale a été construite de 1601 à 1608

Murgtalbahn auf der Tennet-Brücke im Nordschwarzwald

The Murg Valley Railway on the Tennet Bridge in the northern Black Forest

Vue sur le viaduc du Tennet dans le nord de la Forêt-Noire

Internationaler Kurort Baden-Baden, Treffpunkt der Elegance. Mittelpunkt: das Kurhaus

The elegant, internationally renowned spa of Baden-Baden

Baden-Baden, station thermale de renommée mondiale et lieu de rendez-vous de l'élégance

Mädchen aus dem Prechtal bei der Fronleichnams-Prozession in ihren anmutigen Trachten

Prechtal girls in their charming traditional costume, dressed for the Feast of Corpus Christi

Jeunes filles de la vallée de la Prech portant leur costume régional lors de la procession de la Fête-Dieu

◀ Dichtbewaldete Höhen, stille Täler – das ist der vielgerühmte Schwarzwald

Thickly wooded heights and peaceful valleys – this is the far-famed Black Forest

Hauteurs boisées, vallées tranquilles – telle est l'image de la célèbre Forêt-Noire

Konstanz, die ehrwürdige Konzilsstadt am Bodensee, in der 1415 Johannes Hus dem Scheiterhaufen übergeben wurde. Blick über die Rheinbrücke

Constance, the venerable meeting-place of the Council which condemned John Huss to be burnt at the stake in 1415. View over the Rhine bridge

Constance, ancien centre de concile, vit conduire Johannes Hus au bûcher en 1415. Le pont du Rhin

Heiligenberg: Prunkvoller Rittersaal (um 1575) im Schloß der Fürsten zu Fürstenberg

The magnificent Knights' Hall (c. 1575) in the castle of the princes of Fürstenberg at Heiligenberg

La magnifique Salle des Chevaliers (vers 1575) au château des princes de Fürstenberg à Heiligenberg

ÄLTESTER GASTHOF
DEUTSCHLAND'S XIII J.

Die Universitätsstadt Freiburg, Hauptstadt des Schwarzwaldes, mit dem gotischen Münster und dem 1525 errichteten Kaufhaus, im Obergeschoß der Festsaal der Stadt

The Gothic minster in the university town of Freiburg, capital of the Black Forest, and the old market hall (1525) with the civic assembly hall in the upper storey

Fribourg, ville universitaire, capitale de la Forêt-Noire, avec sa cathédrale gothique et le «magasin» (1525) dont le premier étage abrite la salle des fêtes

◀ Magdalenen-Altar in der Pfarrkirche zu Tiefenbronn. – Niederrotweil: Madonna in der Kirche St. Michael. – Freiburg: Wirtshausschild zum Bären. – Eine der ältesten Christusdarstellungen in Deutschland befindet sich in Bad Krozingen

The Mary Magdalene altarpiece in Tiefenbronn Parish Church. – Madonna in St. Michael's Church, Niederrotweil. – The sign of the Bear Inn, Freiburg. – One of the earliest German representations of Christ, at Bad Krozingen

Détail de l'autel Ste-Madeleine dans l'église paroissiale de Tiefenbronn. – Madonne de l'église St-Michel à Niederrotweil. – Enseigne de l'auberge de l'ours à Fribourg. – A Bad Krozingen, on peut admirer l'une des plus anciennes représentations allemandes du Christ

Reutlingen, lebhafte Industrie- und Textilstadt, am Nordwestrand der Schwäbischen Alb

Reutlingen, a busy industrial town specializing in textiles, is situated on the north-west slopes of the Swabian Jura

Reutlingen, ville industrielle et cité textile située sur le flanc nord-ouest du Jura Souabe

Das reich bemalte Renaissance-Rathaus der alten Universitätsstadt Tübingen

The market place with the richly decorated town hall in the university town of Tübingen

La Place du Marché de la célèbre ville universitaire de Tübingen et l'Hôtel de Ville pittoresque

In der ehemaligen Reichsstadt Biberach an der Riß. Die spätgotische Pfarrkirche St. Martin stammt aus dem 14. Jahrhundert

The historical town of Biberach on the River Riß. The Late Gothic parish church of St. Martin was built in the 14th century

Biberach sur la Riss. L'église St-Martin date du 14e siècle

Burg Hohenzollern, Stammhaus des preußischen Herrschergeschlechts

Hohenzollern Castle, the ancestral seat of the Prussian dynasty

Le château de Hohenzollern, résidence ancestrale de la dynastie prussienne ▶

Schloß Sigmaringen, auf einem Felsen über der Donau, mit bedeutender Kunstsammlung aus dem Schwäbischen Kulturkreis

Sigmaringen Castle on a cliff towering above the Danube, has an important collection of Swabian art treasures

Le château de Sigmaringen, construit sur un rocher surplombant le Danube, renferme une collection importante de trésors artistiques de la Souabe

Ulm/Donau: Mittelpunkt der Stadt, das protestantische Münster mit dem höchsten Kirchturm der Erde (161 m), 1377 begonnen

Ulm, on the Danube; towering above the city-centre, the Protestant minster (begun 1377), whose spire is over 530 ft high and the highest in the world

Ulm sur le Danube: Au centre de la ville, la cathédrale protestante entreprise en 1377. Sa tour, la plus haute tour d'église du monde, s'élève à 161 mètres

Urach, eine reizvolle malerische Stadt im Ermstal. Das beachtenswerte Rathaus von 1554

Urach, a charming and picturesque town in the Erms Valley. The notable town hall dating from 1554

Urach, localité pittoresque et charmante de l'Ermstal. Le bel hôtel de ville a été construit en 1554

Schwäbisch Gmünd: der Marienbrunnen auf dem Marktplatz der bekannten Gold- und Silberstadt

Schwäbisch Gmünd; St.Mary's fountain in the market square of this famous gold- and silver-working centre

Schwäbisch-Gmünd. Fontaine Ste-Marie et place du Marché de cette localité célèbre pour son orfèvrerie

Esslingen, sehenswerte alte Reichsstadt am Neckar, überragt vom „Dicken Turm“ der Burg aus der Hohenstaufenzeit. Die doppeltürmige Stadtkirche stammt aus dem 13. Jahrhundert

Esslingen, an interesting old imperial town on the Neckar, overlooked by the "Squat Tower" of the castle dating from the period of the Hohenstaufens. The twin-towered town church dates from the 13th century

Esslingen, ancienne ville impériale construite sur le Neckar, est intéressante à voir; elle est dominée par la «Grosse Tour» du château remontant à l'époque des Hohenstaufen. L'église aux tours jumelles a été érigée au 13e siècle

Schorndorf: 700jährige Stadt im Remstal, Geburtsort Gottfried Daimlers

Schorndorf, a 700-year-old town in the Rems Valley, and the birthplace of Gottfried Daimler

Schorndorf dans la vallée de la Rems est une localité sept fois centenaire. Ville natale de Gottfried Daimler

Heidelberg, die vielbesungene Universitätsstadt am Neckar

Schwetzingen: Blick auf das kurpfälzische Barockschloß (1715) mit seinem schönen Park

The celebrated university town of Heidelberg, on the Neckar

View over the fine park and the baroque palace of the counts palatine at Schwetzingen, built in 1715

Heidelberg, sur le Neckar, ville universitaire célèbre dans le monde entier

Schwetzingen: Vue sur le château baroque des Electeurs palatins (1715) et son magnifique parc

Heilbronn: Erker des Käthchen-Hauses und die kunstvolle astronomische Uhr am Rathaus

Heilbronn: oriel of the Käthchen House (immortalised by Kleist's famous play) and the elaborate astronomic clock on the town hall

Heilbronn: l'encorbellement de la maison de «Käthchen» et la magnifique horloge astronomique de l'hôtel de ville

Mannheim, führende Handels- und Industriestadt Baden-Württembergs. Der 1888 erbaute Wasserturm ist das Wahrzeichen der Stadt

Mannheim is the leading commercial and industrial city of Baden-Württemberg; the water-tower, built 1888, has become the city's landmark

Mannheim est le principal centre industriel et commercial du Land. Construit en 1888, le château d'eau est le signe caractéristique de cette ville

Wiesbaden, Hauptstadt des Landes Hessen. Berühmtes Heilbad und elegante Kurstadt mit 26 Thermalquellen, die schon die Römer kannten. Das Kurhaus wurde 1905 – 1907 erbaut

Wiesbaden, the capital of Hesse, is a famous spa and elegant health resort whose 26 warm springs were known as early as Roman times. The hydro was built between 1905 and 1907

Wiesbaden, capitale du land de Hesse. Station thermale célèbre et mondaine dont les 26 sources étaient déjà appréciées par les romains. Le casino a été construit entre 1905 et 1907

Assmannshausen, rotweinbekannter Ort im Rheingau, der erstmals 1108 erwähnt wurde und mindestens seit dieser Zeit Weinbau betreibt

Assmannshausen in the Rheingau district is well-known for its red wine; its existence was documented as early as 1108 and it has been engaged in viticulture since at least that date

Assmannshausen, localité de la vallée du Rhin célèbre pour son vin rouge, a été mentionnée officiellement dès 1108 et produit du vin au moins depuis cette date

Darmstadt, ehemalige Residenzstadt am Rande des Odenwaldes, Wirtschaftszentrum Südhessens mit bedeutender Industrie, genießt den Ruf einer Stadt der Kunst und Wissenschaft. Das Altschloß – ein Idyll inmitten der Großstadt

Darmstadt on the edge of the Odenwald was formerly a residence town. Now the economic hub of south Hesse with important industrial enterprises, it is also well-known as an artistic and scientific centre. The old palace, a peaceful idyll right in the heart of the city

Jadis résidence située à la lisière de l'Odenwald, Darmstadt est aujourd'hui un des principaux centres économiques du sud de la Hesse; cette ville aux industries prospères est également centre culturel et scientifique. Le vieux château – note idyllique au centre d'une grande ville

Frankfurt am Main, alte Reichsstadt, heute eines der bedeutendsten Wirtschaftszentren der Bundesrepublik

Frankfurt on Main, today one of Germany's most important economic centres, was an independent imperial city long ago

Ancienne ville d'empire située sur le Main, Francfort est aujourd'hui un des principaux centres économiques de la République Fédérale d'Allemagne

Frankfurt am Main. Zu den Wahrzeichen der Stadt und Zeugen deutscher Vergangenheit gehören die drei Giebelhäuser: Alt Limpurg, Zum Römer und Löwenstein

Frankfurt on Main. These three gabled houses – Alt Limpurg, Zum Römer and Löwenstein – are important historical edifices and landmarks of the city

Francfort/Main. Ces trois constructions à façade en pignon – «Alt Limpurg», «Zum Römer» et «Löwenstein» – comptent parmi les signes caractéristiques de la ville et témoignent de son passé

Hanau am Main. Schloß Philippsruhe, einst Sommerresidenz der Grafen von Hanau, 1701 begonnen

Hanau on Main. Philippsruhe Palace, begun in 1701, was once the summer residence of the counts of Hanau

Hanau sur le Main. Ancienne résidence d'été des comtes de Hanau, le château de Philippsruhe a été entrepris en 1701

Hirschhorn, altertümliches Städtchen am Neckar, überragt von einer Burg aus dem 13. Jahrhundert

Hirschhorn, a medieval townlet on the R. Neckar, with the 13th-century castle on the hill behind

Hirschhorn, petite cité tranquille des bords du Neckar, est dominée par son château érigé au 13e siècle

◀ Goldschmied aus Hanau, Äppelwoi-Ausschank in Sachsenhausen, Börse in Frankfurt, Spielbank in Bad Homburg

Goldsmith at Hanau, cider bar at Sachsenhausen, Stock Exchange in Frankfurt, casino at Bad Homburg

Un joaillier à Hanau; un verre de cidre à Sachsenhausen; à la Bourse de Francfort; au casino de Bad Homburg

Heppenheim an der Bergstraße, malerische Stadt mit schmuckreichen Fachwerkhäusern. Der Marienbrunnen wurde 1793 errichtet

Heppenheim, a picturesque town on the Bergstrasse with richly decorated half-timbered houses. The market fountain dates back to 1793

Heppenheim, localité pittoresque de la Bergstrasse, possède de jolies maisons à colombages. La fontaine Ste-Marie remonte à 1793

Seligenstadt. Als größte erhaltene Basilika der Karolingerzeit ist die ehemalige Benediktiner-Abtei historisch von besonderer Bedeutung. Mit dem Bau wurde um 833 begonnen

Seligenstadt. The former Benedictine abbey is of special historical importance, being the largest Carolingian basilica still standing (started 833)

Seligenstadt. Du point de vue historique, la basilique de l'ancienne abbaye bénédictine est particulièrement intéressante; c'est en effet la plus grande basilique carolingienne encore existante. Sa construction a été entreprise en 833

Schwälmer Trachten. Im Land der Grimmschen Märchen ist „Rotkäppchen“ auch noch heute lebendig

Traditional Schwalmland costumes. In the land of the Grimm brothers' fairy-tales, "Red Riding Hood" still lives on today

Costumes folkloriques de la Schwalm. Au pays des contes de Grimm, le «petit chaperon rouge» reste encore actuel

Fritzlar. Schöne Fachwerkhäuser reihen sich um den Rolandbrunnen von 1564 am Marktplatz. Bonifatius fällte hier 744 die Donareiche

Fritzlar. Fine half-timbered houses round the Roland Fountain (1564) on the market place. It was here that St. Boniface felled the Donar Oak of the pagans in 744

Fritzlar. De jolies maisons à colombages limitent la Place du marché dont la fontaine est surmontée d'une statue de Roland (1564). C'est ici que St-Boniface vainquit le paganisme en 744

134

In Frankenberg an der Eder steht seit 1509 eines der stolzesten althessischen Rathäuser – ein schieferverkleideter Fachwerkbau

Frankenberg on Eder boasts one of the finest old town halls in Hesse. Half-timbered and faced with slate, it was built in 1509

Fière construction à colombages aux façades en partie recouvertes d'ardoises, l'hôtel de ville de Frankenberg sur Eder date de 1509

Weilburg an der Lahn, von 1355 bis 1816 im Besitz der Fürsten von Nassau-Weilburg, hat sich sein Bild als Barockresidenz eines Kleinstaates bis heute in seltener Reinheit bewahrt

Weilburg on Lahn, owned by the princes of Nassau-Weilburg from 1355 till 1816, has preserved the character of a small baroque residence town

Weilburg sur la Lahn a appartenu aux princes de Nassau-Weilburg de 1355 à 1816. Elle conserve encore son caractère de résidence de l'époque baroque

Kassel, die alte kurhessische Hauptstadt. Schloß Wilhelmshöhe, das in seiner Anlage einmalig in Europa ist, wurde 1786 – 1797 erbaut

Kassel was once the capital of the former electorate of Hesse. Wilhelmshöhe Palace, whose design is unique in Europe, was built 1786 – 1797

Kassel, l'ancienne capitale de l'Electorat de Hesse. Unique en son genre en Europe, le château de Wilhelmshöhe a été construit de 1786 à 1797

Bad Karlshafen, Barockstädtchen am Zusammenfluß der Diemel und der Weser, 1699 für die Hugenotten als neue Heimat von Landgraf Carl angelegt

Bad Karlshafen, a little baroque town situated where the Diemel and the Weser meet, was planned by Landgrave Carl as a new home for French Huguenots in 1699

Bad Karlshafen, localité de style baroque aménagée au confluent de la Diemel et de la Weser. Le landgrave Carl la créa en 1699 comme refuge pour les huguenots

Wetzlar-Lahn, alte Reichsstadt mit bedeutenden Industriewerken. Ehemals Sitz des Reichskammergerichts, an dem 1772 Goethe arbeitete und „Werthers Leiden“ entstand

Wetzlar-Lahn, once an imperial city, is now an important industrial centre. Goethe's stay here in 1772, when he worked at the former imperial law courts, gave rise to his "Werther"

Wetzlar-Lahn. Ancienne cité impériale, c'est aujourd'hui une ville industrielle. C'était jadis le siège d'une haute cour de justice où travaillait Goethe en 1772, l'année où il écrivit «Werther»

Marburg an der Lahn, berühmte Universitätsstadt mit vielen malerischen Bürgerhäusern und mittelalterlichen Repräsentationsbauten

Marburg on Lahn, the famous university town with many picturesque houses and imposing medieval buildings

Marburg sur la Lahn, ville universitaire célèbre ayant conservé nombre de maisons patriciennes et d'édifices rappelant le Moyen Age

Rosenmontagzug im Mainzer Karneval und das Neue Rathaus

The procession in Mainz on Carnival Monday and the new town hall

Défilé du lundi du carnaval à Mayence et le nouvel hôtel de ville

Mainz, Hauptstadt des Bundeslandes Rheinland-Pfalz. Der Dom, eine dreischiffige Pfeilerbasilika, frühester monumentaler Gewölbebau in Deutschland

Mainz, the capital of the Rhineland-Palatinate. The cathedral has the earliest German vaulting on a monumental scale, with the vaulted roofs of the nave and aisles supported by massive Romanesque pillars

Mayence, capitale du Land Rhénanie-Palatinat. La cathédrale, la plus ancienne construction monumentale à voûte existant en Allemagne, a trois nefs soutenues par des piliers

Im Mittelpunkt der Nibelungenstadt Worms, einst Hauptstadt des Burgunderreiches, der romanische Dom

The focal point of the Nibelungen city of Worms, once the capital of the kingdom of Burgundy, is its Romanesque cathedral

La cathédrale de Worms, ville des Nibelungen et ancienne capitale des Burgondes

Ludwigshafen, moderne Großstadt am Rhein, ist Sitz weltbekannter Werke der Chemie-Industrie und Standort der größten Getreidemühle Deutschlands

The modern city of Ludwigshafen, on the Rhine, is the home of world-famous chemical works and also has the largest flour mills in the Federal Republic

Ludwigshafen, grande ville moderne de la rive gauche du Rhin. Ses produits chimiques sont célèbres dans le monde entier; c'est aussi le siège de la plus grande minoterie allemande

Trier an der Mosel, älteste Stadt Deutschlands, 15 v. Chr. von den Römern gegründet. Der Petrusbrunnen auf dem Marktplatz wurde 1595 errichtet

Trier on the Moselle, founded by the Romans in 15 B. C., is the oldest town in Germany. St. Peter's fountain in the market square dates back to 1595

Fondée par les romains sur la Moselle en 15 av. J. C., Trèves est la doyenne des villes d'Allemagne. La fontaine St-Pierre a été aménagée sur la place du marché en 1595

Der Dom zu Speyer ist der mächtigste der rheinischen Kaiserdome und Grabstätte vieler deutscher Kaiser

Speyer Cathedral is the mightiest of the Rhineland cathedrals and the burial place of many German emperors

La cathédrale de Speyer est la plus imposante des cathédrales impériales de la vallée du Rhin; nombre d'empereurs y reposent

Kaiserslautern. Das Rathaus, mit einer Höhe von 84 m das höchste in Europa, wurde das moderne Wahrzeichen der alten Barbarossa-Stadt

The modern landmark of Kaiserslautern, famous for its associations with the Emperor Barbarossa, is the 275 ft town hall, the highest in Europe

Kaiserslautern. Avec ses 84 mètres de hauteur, l'hôtel de ville est le plus haut d'Europe. C'est le nouveau signe caractéristique de l'ancienne cité de Barberousse

▶

Der „Mariaturm", eine der eigenartigen Gestaltungen des Sandsteins im Dahner Felsenland

The "Mariaturm" (Mary's Tower), one of the strange sandstone formations in the rocky landscape around Dahn

«Mariaturm» – tel est le nom donné à cette singulière formation rocheuse qui se dresse dans le Dahner-Land

Pirmasens, Mittelpunkt der deutschen Schuhindustrie. Die Pirminius-Kirche erinnert an den Namensgeber der Stadt

Pirmasens, centre of the German footwear industry. Here, the church of St. Pirmin, after whom the town is named

Pirmasens est le centre principal de l'industrie de la chaussure. L'église Pirminius rappelle le nom du fondateur de cette ville

Burg Eltz im Eltzbachtal, seit über 1000 Jahren im Besitz der Grafen von Eltz, unversehrt erhalten

The well-preserved castle of Eltz in the Eltzbach Valley has been in the possession of the counts of Eltz for over a thousand years

Le château d'Eltz dans l'Eltzbachtal est depuis plus de 1000 ans propriété des Comtes d'Eltz

150

Bad Kreuznach. Bekanntes Sol- und Radiumbad. Beachtenswert sind die schon 1495 erwähnten Häuser auf der 1311 erbauten Nahebrücke

The bridge over the Nahe (built 1311) in the famous spa town of Bad Kreuznach. The houses on the bridge are over 450 years old

Bad Kreuznach est une station thermale célèbre. Ces maisons originales construites sur le pont de la Nahe (1311) sont mentionnées depuis 1495

Autobahn-Brücke über den Rhein bei Koblenz

Motorway over the Rhine near Coblenz

Cette autoroute traverse le Rhin près de Coblence

Der Brückenheilige Johannes von Nepomuk in Monreal in der Eifel

The patron saint of bridges, St. John of Nepomuk, at Monreal in the Eifel region

St-Johannes Nepomuk à Monreal dans l'Eifel

Weinbewachsene, von Burgen gekrönte Höhen zieren den romantischen Rhein. Burg Katz mit dem Loreley-Felsen

Vine-clad heights crowned with castles add beauty to the romance of the Rhine. The Loreley Rock with Katz Castle in the foreground

Des hauteurs couvertes de vignobles et couronnées de châteaux forts bordent le Rhin romantique. La forteresse de Katz avec le rocher de la Loreley

Saarbrücken, Universitäts- und Messestadt, wirtschaftlicher und kultureller Mittelpunkt des Saarlandes. Rechts das Stadttheater

Saarbrücken, the economic and cultural centre of Saarland with its trade fairs and university. Right: the municipal theatre

Célèbre pour son université et sa grande Foire annuelle, Sarrebruck est le centre économique et culturel de la Sarre. Ici, le théâtre

Im Land der Saar:
die Saarschleife bei Mettlach

A loop in the River Saar
near Mettlach

Dans la vallée de la Sarre: un
méandre de la rivière près de Mettlach

Saarbrücken, Grenz-Großstadt mit historischer Vergangenheit, am Schnittpunkt des deutsch-französischen Geistes-, Kultur- und Wirtschaftslebens

The historic city of Saarbrücken on the French border, a melting pot for German and French intellectual, cultural and economic trends

Sarrebruck, grande ville frontière au passé mouvementé. La vie culturelle et les activités économiques portent l'empreinte franco-allemande

Landschaftlich reizvoll: Autobahn im Saarland

The Saarland motorway blends harmoniously into the landscape

Cette autoroute de la Sarre augmente l'attrait du paysage

Düsseldorf: Hauptstadt des Landes Nordrhein-Westfalen, Zentrum des rheinisch-westfälischen Industriereviers mit modernen Bauten und Straßenanlagen

Düsseldorf, the capital of the present Land of North Rhine-Westphalia, and its industrial centre, boasts many modern buildings and roads

Düsseldorf, capitale du Land de Rhénanie-du-Nord-Westphalie et principal centre industriel de cet Etat, est riche en constructions modernes, buildings et routes

Köln. Gewaltiges „hilliges Coellen“, von den Römern gegründet, Schatzkammer nordrheinischen Kunstschaffens ... alles überragend die Türme des mächtigen Domes

Cologne. The imposing "hilliges Coellen" founded by the Romans is a treasure house of North Rhineland creative art dominated by the soaring towers of the mighty cathedral

Cologne. L'imposante «hilliges Coellen», ancienne cité romaine; trésor artistique du Rhin septentrional, elle est dominée par les tours de son immense cathédrale

Braunkohle-Kraftwerk
Niederaußem bei Bedburg

The Niederaussem lignite
power station near Bedburg

A la lisière de ce champ de blé se dresse l'imposante
centrale thermique de Niederaussem près de Bedburg

100-m-Radio-Teleskop bei Effelsberg in der Eifel

The 328 ft radio telescope near Effelsberg in the Eifel region

Ce radio-télescope a été installé près d'Effelsberg dans l'Eifel

Bonn, Universitätsstadt am Rhein, Hauptstadt der Bundesrepublik. Hier am Sitz von Parlament, Bundespräsident und Bundesregierung konzentriert sich das politische Leben. Das Rathaus wurde 1738 erbaut

Bonn, university city on the Rhine and capital of the Federal Republic. Political life revolves round this city, which is the seat of Parliament, the Federal President and the Federal Government. The town hall was built in 1738

Bonn, ville universitaire située sur le Rhin et capitale de la République Fédérale d'Allemagne. Siège du parlement, résidence présidentielle et siège du gouvernement; c'est là que se concentre la vie politique du pays. L'hôtel de ville a été érigé en 1738

Aachen, von 936 – 1531 Krönungsstadt deutscher Kaiser und Könige. Blick auf Elisenbrunnen, St.-Foillans-Kirche und Dom

Aachen, the coronation city of German emperors and kings from 936 to 1531. View of the Elise Springs, the cathedral and St. Foillan's Church

Aix-la-Chapelle a vu couronner les empereurs d'Allemagne de 936 à 1531. Vue sur l'«Elisenbrunnen», l'église St-Foillan et la cathédrale

Mönchengladbach, Zentrum der deutschen Tuchindustrie.
Im Vordergrund die ehemalige Benediktiner-Abtei

Mönchengladbach is the centre of the German textiles industry. In the foreground, the former Benedictine abbey

Mönchengladbach est un des plus grands centres textiles d'Allemagne. Au premier plan, l'ancienne abbaye bénédictine

Duisburg. Alte, aber moderne Stadt an Rhein und Ruhr mit bedeutender Eisen- und Stahlerzeugung und größtem Binnenhafen Europas. Rechts das Stadttheater

Duisburg, an ancient and yet modern city situated at the confluence of the Rhine and the Ruhr, is an important iron and steel centre and the largest inland port in Europe. Right: the municipal theatre

Duisburg, vieille cité devenue très moderne. Construite sur le Rhin et la Ruhr, c'est à la fois un centre important de métallurgie lourde et le premier port fluvial d'Europe. Ici, le théâtre

Wuppertal, im Bergischen Land, Großstadt mit vielseitiger Industrie. Die weltberühmte 13,5 km lange Schwebebahn über dem Flußlauf der Wupper wurde 1898 – 1901 erbaut

The city of Wuppertal in the "Bergisches Land" district has a wide variety of industries. The world-famous 8-mile-long overhead railway following the course of the River Wupper was built 1898 – 1901

Wuppertal est un grand centre industriel aux activités variées. Le célèbre tramway suspendu qui circule au-dessus de la Wupper sur une distance de 13,5 km a été construit de 1898 à 1901

Dortmund, ehemalige Reichs- und Hansestadt, heute Wirtschaftsmetropole Westfalens und Europas Bierstadt Nr. 1. Die ehrwürdige Reinold-Kirche stammt aus dem 13. Jahrhundert

Dortmund, formerly an imperial and Hanseatic city, is nowadays Westphalia's economic centre and the beer capital of Europe. The venerable St. Reynold's Church was built in the 13th century

Ancienne ville d'empire et ville hanséatique, Dortmund est de nos jours le principal centre économique de Westphalie et la capitale européenne de la bière. L'église St-Reinold remonte au 13e siècle

Bochum, bereits um 1100 als Freigrafenstadt erwähnt, ist eine Industriestadt mit Steinkohlenbergbau, Eisenwerken und Maschinenfabriken, seit 1965 Universitätsstadt

Bochum, mentioned as early as 1100 as a free town, is a large industrial city specialising in coal-mining, iron works and mechanical engineering. The university was founded in 1965

Bochum figure déjà dans des documents remontant à 1100. Elle est caractérisée notamment par l'extraction de la houille, l'industrie métallurgique et les constructions mécaniques. Centre universitaire depuis 1965

Essen, viertgrößte Stadt der Bundesrepublik, Mittelpunkt und Einkaufsstadt des Ruhrgebietes, nach schweren Zerstörungen großzügig aufgebaut

Essen, the fourth largest city in the Federal Republic and the industrial hub and shopping centre of the Ruhr district, was rebuilt on spacious lines following the serious bomb damage it suffered

Essen, quatrième ville de RFA, centre industriel et commercial de la Ruhr, presque entièrement détruit pendant la guerre, a été reconstruite selon des notions modernes

Hagen, Großstadt im Grünen, Industriestadt und kultureller Mittelpunkt Südwestfalens. Eingangspforte zum Sauerland

Hagen, a city in the country, is a modern industrial and cultural centre for south Westphalia, situated at the entrance to the hilly Sauerland

Hagen est une ville dans la verdure. C'est à la fois une ville industrielle, le centre culturel du sud de la Westphalie et la porte du Sauerland

Die über 100 m hohe und 1 km lange Brücke der Sauerland-Autobahn bei Siegen

The Sauerland motorway bridge near Siegen is over 300 ft high and more than $^1/_2$ mile long

Ce viaduc de l'autoroute du Sauerland près de Siegen est haut de plus de 100 mètres et long d'un kilomètre

Gelsenkirchen, Großstadt im Herzen des „Reviers", mit beherrschender Schwerindustrie und bedeutenden Werken der Chemie und der Glasindustrie

Hamm, im 13. Jahrhundert gegründet, Industriestadt mit dem größten Güter-Verschiebebahnhof Europas. Zeche „Sachsen" und der Stadthafen am Datteln-Hamm-Kanal

Gelsenkirchen, situated in the heart of the mining district specialises in heavy industry and is the home of many important chemical and glass works

Hamm, founded in the 13th century, is an industrial city with the largest goods marshalling yard in Europe. The Sachsen colliery and the city port on the Datteln-Hamm Canal

Gelsenkirchen est un des grands centres de la zone industrielle. Industrie métallurgique, industrie chimique et verrerie ont largement contribué à l'essor de cette ville

Fondée au 13e siècle, Hamm est aujourd'hui une ville industrielle possédant la première gare de triage d'Europe. Le puits de mine «Sachsen» et le port sur le canal

SYBILLE HAMBURG HAMBURG SYBILLE
MTS. NAVEXTANK 2

Das Prunkschloß Nordkirchen, das „westfälische Versailles", das Fürstbischof Friedrich Christian von Plettenberg 1703 erbauen ließ, ist jetzt Landesfinanzschule

The magnificent castle of Nordkirchen, the "Westphalian Versailles", was built by the prince-bishop Friedrich Christian von Plettenberg in 1703 and now houses the Westphalian School of Finance

Le prince-évêque Friedrich Christian von Plettenberg fit construire en 1703 le château de Nordkirchen. Cet édifice considéré comme le «Versailles de Westphalie» abrite aujourd'hui un centre de formation dépendant du Ministère des Finances

Münster. Hauptstadt Westfalens mit herrlichen Kirchen, profanen Baudenkmälern von künstlerischem Rang und bedeutender Landesuniversität. Markt vor dem Dom

Münster, the capital of Westphalia, with magnificent churches, secular buildings of high artistic value and an important Land university. Market-day in front of the cathedral

Capitale de la province, Münster possède des églises magnifiques et nombre de belles constructions. D'un niveau artistique élevé, cette ville est également le siège d'une université. Jour de marché sur la place de la cathédrale

Bielefeld, Universitätsstadt am Teutoburger Wald, Wirtschafts-, Kultur- und Einkaufszentrum in Ost-Westfalen mit weitgefächerter Industrie, besitzt seit 1214 Stadtrechte

Bielefeld, a university town on the outskirts of the Teutoburg Forest, received its town charter as early as 1214. It is the economic, cultural and shopping centre of East Westphalia and has a wide variety of industries

Bielefeld. Cette ville universitaire située au pied du Teutoburger Wald est aussi un centre économique, commercial, culturel et industriel. Elle a reçu le titre de ville dès 1214

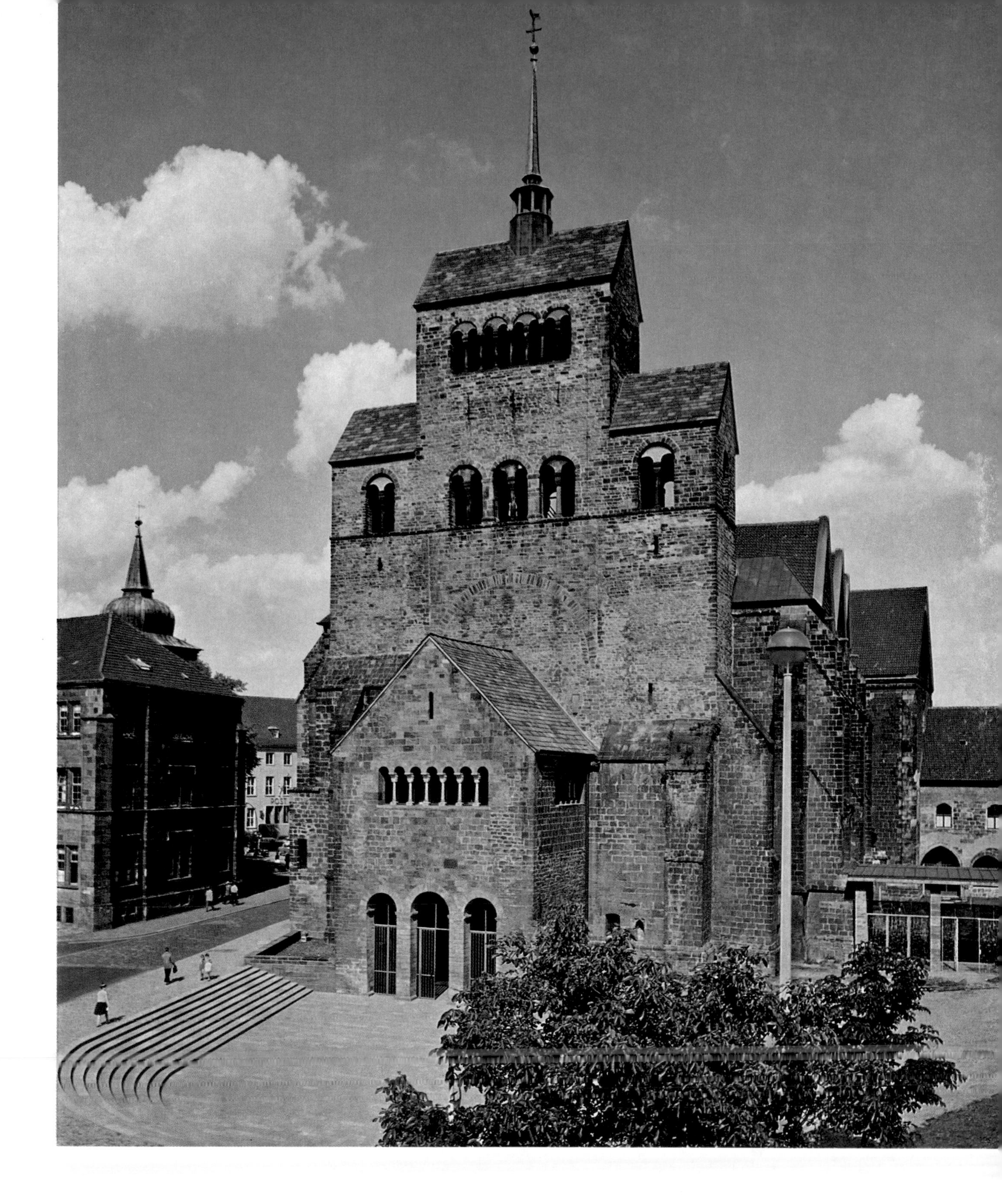

Minden an der Weser,
alte Hansestadt mit bedeutendem
frühgotischem Dom

Minden on the Weser, an old
Hanseatic town with an important
Early Gothic cathedral

Minden sur la Weser, vieille ville
hanséatique, possède une importante
cathédrale gothique (11e – 13e s.)

Auf der Grotenburg im Teutoburger Wald steht auf einem 30 m hohen Sockel das 26 m hohe Denkmal Hermanns des Cheruskers

This 85 ft memorial to Arminius, who won a resounding victory against the Romans here in 9 A.D., stands on a 98 ft pedestal on the hill of Grotenburg in the Teutoburg Forest

Cette statue haute de 26 mètres qui repose sur un socle de 30 mètres s'élève dans le Teutoburger Wald et représente Hermann le Chérusque

Sagenumwoben und geheimnis-umwittert: die Externsteine im Lipper Land

The mysterious Externsteine in the Lippeland have given rise to innumerable legends

Leur origine est légendaire et obscure: les rochers d'Extern dans le Lipper Land

Das Rathaus der Landeshauptstadt Hannover: Der schloßähnliche Bau (1901 – 1913) ist typisch für den Beginn unseres Jahrhunderts

Hanover, the capital of Lower Saxony. The city hall (1901 – 1913), whose palatial architecture is typical of the beginning of our century

L'hôtel de ville de Hanovre, capitale de la Basse-Saxe. Réalisé de 1901 à 1913, il ressemble à un château. Cette architecture est typique du début du 20e siècle

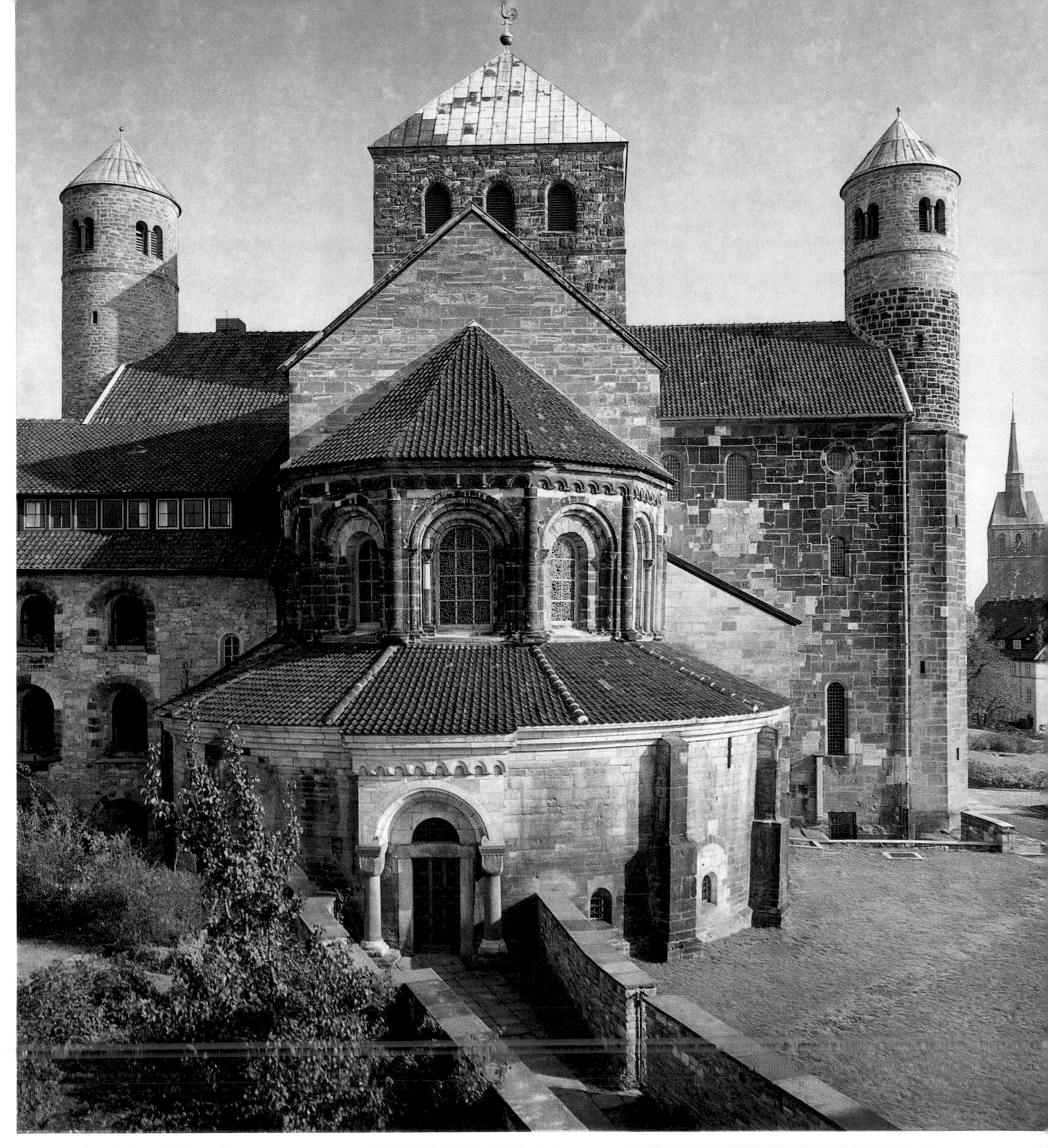

Hildesheim, alte Bischofsstadt.
Die evangelische St.-Michaels-Kirche, eine der großartigsten romanischen Basiliken in Deutschland.
Baubeginn um 1010

Hildesheim, an ancient cathedral town. Here the Protestant church of St. Michael, one of the most magnificent Romanesque basilicas in Germany (started about 1010)

Hildesheim, vieille cité épiscopale. Maintenant église protestante, la basilique St-Michel compte parmi les plus belles constructions romanes du genre en Allemagne. Elle a été entreprise vers 1010

Göttingen, über 1000 Jahre alt, mit weltbekannter Universität von 1737 und einem gemütlichen Altstadtkern

View of the charming old town center of Göttingen, which dates back over 1,000 years and has a world-famous university founded in 1737

Göttingen existe depuis plus de 1000 ans. L'université fondée en 1737 est célèbre dans le monde entier; le centre ville reflète le charme des constructions de jadis

Hameln an der Weser. Die altertümliche „Rattenfängerstadt“ besitzt zahlreiche prächtige Bürgerhäuser aus der Zeit der Renaissance

The quaint old town of Hamelin on the Weser, famous for the Pied Piper legend, has numerous magnificent burghers' houses dating from Renaissance times

Hameln. la ville du «preneur de rats». Construite sur la Weser, elle possède encore nombre de maisons aux magnifiques façades renaissance

Meisterwerk der Technik: die Okertalsperre im Harz

The Okertal Dam in the Harz mountains is a masterpiece of technological achievement

Un ouvrage d'art parfaitement réussi: le barrage de l'Oker dans le Harz

Das mittelalterliche Hannoversch-Münden. Der sagenhafte „Doktor Eisenbart" lebte hier

The medieval town of Hannoversch-Münden, where the legendary Dr. Eisenbart lies buried

Maisons moyenâgeuses à Hannoversch-Münden. C'est ici que vécut le légendaire «Docteur Eisenbart»

190

Wolfenbüttel, eine gut erhaltene Stadt, die fast 500 Jahre lang, bis 1784, als Residenz der Herzöge von Braunschweig und Lüneburg, Landeszentrum war. – Hier das Schloß

Wolfenbüttel, a well-preserved town which, as the residence of the dukes of Brunswick and Lüneburg, was the centre of the region for almost 500 years, till 1784. Here, the Castle

Ville bien conservée, Wolfenbüttel fut pendant près de 500 ans (jusqu'en 1784) la résidence des ducs de Brunswick et Lüneburg et, de ce fait, centre régional. – Le Château

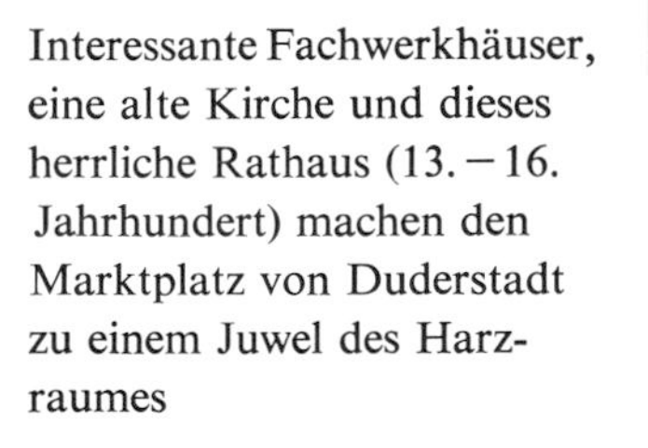

Interessante Fachwerkhäuser, eine alte Kirche und dieses herrliche Rathaus (13. – 16. Jahrhundert) machen den Marktplatz von Duderstadt zu einem Juwel des Harzraumes

The interesting half-timbered houses, an old church and this splendid town hall (13th – 16th cents.) make the market place of Duderstadt one of the loveliest sights in the Harz mountains

De jolies maisons à colombages, une vieille église et ce magnifique hôtel de Ville (13e – 16e siècles) font de la Place du Marché de Duderstadt un des joyaux du Harz

192

Goslar: Malerische Fachwerkhäuser und mittelalterliche Kirchen erinnern an die Vergangenheit als Reichsstadt und Kaiserpfalz

Picturesque half-timbered houses and medieval churches recall the days when Goslar was an imperial seat and a free imperial town

Pittoresques maisons à colombages et églises médiévales sont autant de témoins du passé historique de Goslar, ancienne résidence impériale et ville d'Empire

Braunschweig: Seit dem Jahre 1166 steht der erzene Löwe auf dem Burgplatz der alten Welfenstadt

The Bronze Lion of Brunswick has stood in the Burgplatz of this ancient Guelph town since 1166

Brunswick: Depuis 1166 le Lion d'airain se dresse sur la Burgplatz de l'ancienne cité guelfe

Wolfsburg, die Stadt des „Volkswagens“, 1937 ein unbekannter Ort mit 150 Einwohnern, heute eine moderne Großstadt. Blick über den Stadtteil Demerode

Wolfsburg, the Volkswagen town; an insignificant little village with 150 inhabitants in 1937, it is nowadays a bustling modern city. View over the Demerode district

Wolfsburg, ville de la Volkswagen. Cette grande ville moderne n'était en 1937 qu'un petit village de 150 habitants. Vue sur le quartier de Demerode

◀ Helmstedt, wichtiger Knotenpunkt für den Verkehr zwischen den beiden deutschen Staaten, war von 1576 – 1816 welfische Universitätsstadt und geistiges Zentrum des Landes. – Giebel des Juleums

Helmstedt, an important junction for traffic between the two German states was from 1576 to 1816 a Guelph university town and the intellectual centre of the region

Helmstedt occupe aujourd'hui une place importante de par sa situation à la frontière séparant les deux Etats allemands. Centre universitaire de 1576 à 1816, la ville était alors le centre intellectuel de la région

Lüneburg,
alte Salz- und Hansestadt mit vielen Zeugen norddeutscher Backsteinkunst

Lüneburg, this salt-trading Hanse town still has many buildings in the North-German brickwork style

Lüneburg, ancienne ville hanséatique célèbre pour le commerce du sel, possède encore beaucoup d'édifices en briques construits dans le style caractéristique d'Allemagne du Nord

◀ Das Schloß in der alten Herzogstadt Celle und die prächtig ausgestattete Schloßkapelle

The castle at Celle, an old ducal seat, and the magnificent interior of its chapel

Le château de Celle, ancienne résidence ducale, et sa chapelle richement ornée

Leer: Die Alte Waage in der ostfriesischen Stadt mit holländischem Gepräge

Leer, an East-Frisian town with a Dutch flavour: here, the weigh-house

Leer en Frise Orientale rappelle les villes de Hollande; ici, la Balance

◀ Greetsiel in Ostfriesland – bevorzugtes Ziel von Malern

Greetsiel in East Friesland – much visited by artists

Greetsiel en Frise Orientale est un endroit très recherché des peintres

Emden, drittgrößte Seehafenstadt der Bundesrepublik und größter Automobil-Umschlagplatz der Welt. Im modernen Stil neugestaltet wurde die durch Luftangriffe zerstörte Altstadt

Emden, the third largest seaport in the Federal Republic and the world's leading automobile transshipment centre. The old part of the town has been rebuilt on modern lines following severe air-raid damage

Emden est à la fois le 3e port maritime de République fédérale et le premier port du monde pour le transport d'automobiles. Détruite par les bombardements, la Cité a été reconstruite selon des données modernes

Das Rathaus der Industrie- und Marinestadt Wilhelmshaven und der neue Leuchtturm „Alte Weser" in der Nordsee

The town hall of the naval port and industrial city of Wilhelmshaven and the new lighthouse, called the "Alte Weser", in the North Sea

L'hôtel de ville de Wilhelmshaven, port militaire, et le nouveau phare «Alte Weser» qui se dresse dans la Mer du Nord

Das Rathaus der Freien und Hansestadt Bremen, ein Backsteinbau von 1409, dem 1612 eine prächtige Renaissance-Fassade vorgelegt wurde

The city hall of the free Hanse city of Bremen; originally built in brick in 1409, a magnificent Renaissance façade was added in 1612

L'hôtel de ville de Brême, édifice construit en brique (1409) s'est vu ajouter en 1612 une belle façade renaissance

Seestadt Bremerhaven, bedeutendster Passagierhafen der Bundesrepublik und Europas größter Container-Terminal. Hier Blick auf den Museumshafen

Bremerhaven on the North Sea coast is W. Germany's leading passenger port and the largest container terminal in Europe. Here, a view of the museum port

Premier port de passagers d'Allemagne, Bremerhaven possède en outre le plus grand terminus européen pour containers. Vue sur le port-musée

„Roland der Ries"' vor dem Rathaus zu Bremen. Sinnbild der Reichsfreiheit und des Marktrechtes. – Denkmal der „Bremer Stadtmusikanten"

"Roland the Giant" in front of the city hall in Bremen is a symbol of the city's imperial freedom and its right to hold a market. On the right, memorial to the "Bremen Street Musicians" from Grimms' fairy-tale

«Roland le géant» devant l'hôtel de ville de Brême. Roland était jadis le symbole des villes libres et du droit de marché. – Monument des «Musiciens de Brême»

Die Freie und Hansestadt Hamburg, größte Stadt der Bundesrepublik und wichtiger Handelsplatz des Weltverkehrs

The free Hanse city of Hamburg, the largest city in the Federal Republic and an important trading centre for the world

Ville libre et cité hanséatique, Hambourg est aujourd'hui la plus grande ville de la RFA. C'est en outre une plaque tournante du commerce international

Rastlos ist das Leben im Hamburger Hafen – immer offen ist das Tor zur Welt

Ceaselessly the ships come and go – the gate to the world is always open in the port of Hamburg

Le port de Hambourg, immense porte ouverte sur le monde, connaît un va-et-vient continuel

Hamburg, eine moderne Großstadt mit vielen reizvollen Idyllen, zu denen auch die Binnenalster, ein mitten in der City gelegener See, zählt

Hamburg, one of the many delightful corners of this modern metropolis: the Binnenalster, a lake right in the heart of the city

Métropole moderne, Hambourg a conservé nombre de coins charmants – par exemple la Binnenalster, lac situé dans le centre-ville

Kiel, Landeshauptstadt von Schleswig-Holstein, Hafen- und Universitätsstadt, Austragungsort der Segelwettkämpfe der Olympischen Spiele 1972

Kiel, the capital of Schleswig-Holstein, a port and a university town, was the scene of the sailing events in the 1972 Olympic Games

Kiel est la capitale du Schleswig-Holstein. C'est un grand port mais aussi un centre universitaire; lieu de compétition pour les épreuves olympiques de yachting en 1972

Kiel. Der Oslo-Kai inmitten der Stadt ist das Fährhaus zum Norden

Kiel. The Oslo Quay, right in the city-centre, is the ferry terminal for passages to the North

Kiel. Situé au centre de la ville, le Quai d'Oslo est le point de départ vers le nord

Travemünde, internationales Ostseebad an der Lübecker Bucht, bedeutender Fährhafen für den Verkehr nach Dänemark, Schweden und Finnland

Travemünde, an international Baltic resort on Lübeck Bay and an important ferry-port for crossings to Denmark, Sweden and Finland

Travemünde, station balnéaire célèbre située dans la baie de Lübeck sur la Mer Baltique, est aussi le port d'attache des ferry-boats assurant le passage vers le Danemark, la Suède et la Finlande

Das um 1477 vollendete Holstentor, Wahrzeichen der ehemaligen Freien und Hansestadt Lübeck

The Holstentor, completed about 1477, is a landmark of Lübeck, formerly an independent Hanseatic city-state

Le «Holstentor», porte terminée vers 1477, est l'un des signes distinctifs de Lübeck, ancienne ville libre et ville hanséatique

CONCORDIA DOMI FORIS PAX

Der um 1170 begonnene Dom der Inselstadt Ratzeburg, die erste bedeutende Leistung des Nordens in der damals neuen Ziegelbauweise

The cathedral of the island-town of Ratzeburg was begun about 1170 and was the first important edifice in the North to be built in the newly introduced brickwork

La cathédrale de Ratzebourg, ville construite sur une presqu'île, remonte à 1170 environ et constitue le premier édifice important réalisé dans le Nord à l'aide de briques, matériau alors tout nouveau

Das 1595 errichtete Schloß Ahrensburg, mit einer späteren Rokokoausstattung, ist seit 1955 Museum

The castle of Ahrensburg, built 1595 and furnished in the rococo style, was made into a museum in 1955

Construit en 1595 et doté par la suite d'éléments intérieurs de style rococo, le château d'Ahrensburg abrite maintenant un musée

Mölln, Stadt mit altem Charakter, auf einer Halbinsel zwischen Schul- und Ziegelsee gelegen, überragt von der im 15. Jahrhundert erbauten Nicolaikirche

Mölln, a quaint little town on a peninsula between Lakes Schulsee and Ziegelsee and dominated by the 15th-century St. Nicholas's Church

Mölln est située sur une presqu'île séparant le Schulsee et le Ziegelsee. La ville, qui a conservé son caractère originel, est dominée par l'église St-Nicolas (15e s.)

Die Rosenstadt Eutin, einst das „Weimar des Nordens“ und Geburtsort Carl Maria v. Webers

The “Town of Roses”, Eutin, at one time called the “Weimar of the North” was the birthplace of Carl M. von Weber

Ville des roses, Eutin fut autrefois considérée comme le «Weimar du Nord»; c’est en outre la ville natale de Carl-M. von Weber

Malente-Gremsmühlen, Kneipp-Heilbad und Luftkurort im Herzen der Holsteinischen Schweiz, zwischen Dieksee und Kellersee

Malente-Gremsmühlen, a climatic spa with Kneipp (water) treatments, lies between Dieksee and Kellersee Lakes in the heart of the "Holstein Switzerland"

Malente-Gremsmühlen, station climatique où l'on pratique les cures selon la méthode de Kneipp, est située entre deux lacs, le Dieksee et le Kellersee

Die „Vogelfluglinie", kürzeste Verbindung nach Skandinavien, führt über die Fehmarnsund-Brücke (963 m)

The "Bird Migration Route", the shortest way to Scandinavia, leads for 3,160 ft over the Fehmarn Sound Bridge

La «Vogelfluglinie», route à vol d'oiseau, constitue la liaison la plus directe vers les Pays Scandinaves; elle emprunte le pont enjambant le Fehmarnsund et long de 963 mètres

Heiligenhafen am Fehmarnsund ist trotz eines modern gestalteten „Ferienparks“ eine gemütliche Fischerstadt geblieben

Heiligenhafen on Fehmarn Sound has remained a friendly little fishing town despite the modern holiday centre

Heiligenhafen, localité située dans la calanque de Fehmarn, est restée un petit port de pêche très agréable malgré l’aménagement d’un «parc de vacances» moderne

Friedrichstadt, ein verträumtes Städtchen mit altholländischem Gepräge, 1619 von Niederländern gegründet

Friedrichstadt, a sleepy little town with an air of Old Holland, was founded by Dutchmen in 1619

Friedrichstadt, petite localité où l’on reconnaît l’influence de la Hollande d’autrefois, a été fondée par des Néerlandais en 1619

Büsum, beliebt als Nordseebad, mit grünem Strand, bekannt durch die Krabbenfischerei

Büsum, a popular North Sea resort with a grassy beach and famous for its shrimp fishing

Büsum, sur la Mer du Nord, est célèbre pour sa plage et pour la pêche à la crevette

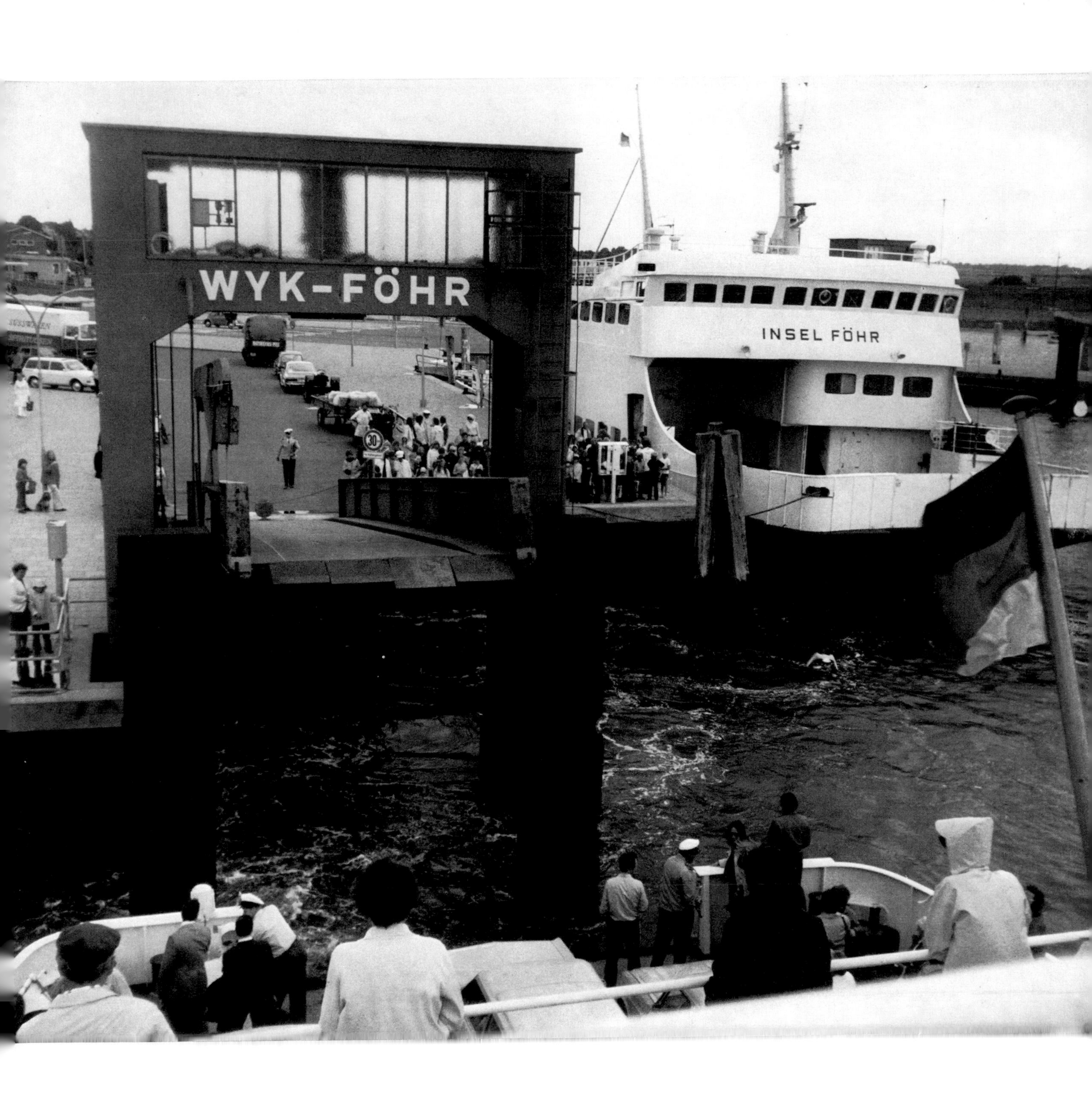

Wyk auf Föhr, vielbesuchtes Nordseebad der grünen Insel, mit besonders mildem Klima

Wyk, a very popular North Sea resort on the green island of Föhr, famed for its mild climate

Föhr, l'«île verte», jouit d'un climat particulièrement doux. Wyk est une station balnéaire très fréquentée

Der Nord-Ostsee-Kanal, mit jährlich über 90000 Schiffs-Durchfahrten meistbefahrener Kanal der Welt

The Kiel Canal is the busiest in the world with over 90,000 ships passing through it annually

Avec plus de 90000 passages par an, le canal de la mer du Nord à la mer Baltique est le plus fréquenté qui soit

Blick über die Schlei auf die alte Wikingerstadt Schleswig, die „Rast-Oase an der Europastraße 3", mit dem 110 m hohen Dom

View over the Schlei to the old Viking town of Schleswig with its 361-foot-high cathedral: a favourite stop-off on European Route 3

Vue sur la Schlei et Schleswig, ancienne cité fondée par les Vikings. Dominée par la tour de sa cathédrale, c'est une ville-étape idéale sur une des grandes artères européennes

„Damp 2000“ – ein 1973 entstandenes Ferienzentrum an der Ostseeküste mit etwa 7000 Betten

"Damp 2000"—a holiday centre on the Baltic coast built 1973 with accommodation for up to 7,000 guests

«Damp 2000». Ce centre de vacances créé en 1973 sur la côte de la Mer Baltique peut accueillir quelque 7000 personnes

Husum, Theodor Storms „graue Stadt am Meer“, kultureller und wirtschaftlicher Mittelpunkt Nordfrieslands. Tine-Brunnen am Marktplatz

Husum, Theodor Storm's "grey town by the sea", the cultural and economic centre of North Friesland. The Tine Fountain on the market place

Husum, la «ville grise au bord de la mer» de Theodor Storm, est le principal centre culturel et économique de la Frise Septentrionale. La fontaine de la Place du Marché

Am Südufer der waldumschlossenen Flensburger Förde liegt das 1582–1587 erbaute Wasserschloß Glücksburg mit sehenswerter Inneneinrichtung

The castle of Glücksburg, built between 1582 and 1587 on the south bank of the forest-girdled Flensburg Inlet, is well worth a visit

La calanque de Flensbourg aux belles rives boisées nous offre dans sa partie sud le pittoresque château de Glücksburg, édifice érigé de 1582 à 1587; l'intérieur du château est également très intéressant

Flensburg: Nördlichster deutscher Hafen und bedeutendste Stadt des Landesteils Schleswig

Flensburg: The most northerly of the German ports and the most important town in the district of Schleswig

Flensbourg: c'est à la fois le plus septentrional des ports allemands et la ville la plus importante du Schleswig

FRA Z SCH

See- und sturmumtobte Nordspitze von Helgoland, vielbesuchte und einzige Felseninsel Deutschlands

Heavy seas and high winds rage around the northern tip of Heligoland, which is Germany's only rocky island and attracts many tourists

La pointe nord de l'île d'Helgoland doit affronter continuellement la mer et la tempête. Seule île rocheuse d'Allemagne, Helgoland attire chaque année un nombre considérable de touristes

Berlin (West). Am Aufbau dieser vom Krieg so stark zerstörten Stadt kann man ihren ungebrochenen Lebenswillen erkennen. Die Bundesrepublik fühlt sich mit ihr so verbunden, wie es die Berliner mit der Bundesrepublik sind, ja, sogar mit Europa. So steht das „Europa-Center" nicht nur zufällig an der Gedächtniskirche, es gehört ganz einfach dort hin

Berlin (West). The rebuilding of this war-devastated city clearly evinces its unbroken determination to live. The Federal Republic feels itself as strongly tied to Berlin as the Berliners feel their ties with the Federal Republic and, indeed, with Europe. It is therefore no mere coincidence that the Europe Centre stands next to Berlin's landmark, the Memorial Church (Gedächtniskirche). It is just where it should be

Berlin (Ouest). Des liens réciproques unissent la République Fédérale et Berlin. L'attachement des Berlinois ne se manifeste pas uniquement envers la République Fédérale mais aussi envers l'Europe. Ce n'est donc pas seulement par hasard que l'«Europa-Center» est proche de la «Gedächtniskirche»

Schloß Charlottenburg, 1695 begonnen, großartigste Verkörperung barocker Machtauffassung und bestes Zeugnis der königlichen Bauten in Berlin

The castle of Charlottenburg, begun in 1695, is the most magnificent embodiment of the baroque conception of power and is the finest royal building in Berlin

Le château de Charlottenburg. Entrepris en 1695, il incarne au maximum la conception baroque de puissance. C'est le meilleur témoin des constructions royales de Berlin

CINZANO
U
U-Bhf. Kurfürstendamm
Frankfurter Allgemein
Marlboro
DIE WELT

Berlin. Das Brandenburger Tor, bekanntestes Tor der Welt, 1788–91 an der Stadtgrenze der Prachtstraße Unter den Linden erbaut

Berlin. The Brandenburg Gate, the world's most famous gate, built 1788–91 at the end of the magnificent avenue Unter den Linden

Berlin. La Porte de Brandebourg est connue dans le monde entier. Elle a été construite entre 1788 et 1791 à l'extrémité de la magnifique avenue Unter den Linden

◀ Kranzler-Eck am Kurfürstendamm, der bekanntesten und repräsentativsten Geschäftsstraße Westberlins

Café Kranzler corner on the Kurfürstendamm, West Berlin's best-known and most exclusive shopping street

Le café Kranzler sur le Kurfürstendamm, l'artère commerçante la plus célèbre et la plus imposante de Berlin

Städtebauliches Zentrum der Hauptstadt Berlin ist der Alexanderplatz. Weltzeituhr und Haus des Lehrers

Alexander Square is the architectural showpiece of Berlin, the capital of East Germany. Here, the world clock and the Teachers' Centre

Du point de vue de l'urbanisme, l'Alexanderplatz est le centre de Berlin. L'horloge universelle et la Maison de l'Enseignant

Potsdam, ehemals Residenz der preußischen Könige. Schloß Sanssouci, 1745–48 von Knobelsdorff für Friedrich II. erbaut, gilt als Hauptwerk des friderizianischen Rokoko

Potsdam, formerly the residence of the Prussian kings. The palace of Sanssouci was built 1745–48 for Frederick II by Knobelsdorff, and is regarded as the outstanding achievement of "Frederickan" rococo

Potsdam, ancienne résidence des rois de Prusse. Construit de 1745 à 1748 par Knobelsdorff pour Frédéric II, Sanssouci est un exemple typique du style rococo

In seenreicher Moränenlandschaft liegt das 1180 gestiftete Kloster Lehnin. Die 1262 beendete Klosterkirche ist eines der ältesten Beispiele norddeutscher Backstein-Architektur

Lehnin Monastery, founded in 1180, is surrounded by woods and lakes. The monastery church, completed 1262, is one of the earliest examples of North German brickwork architecture

Dans un magnifique paysage de collines morainiques parsemé de lacs, on découvre le monastère de Lehnin, fondé en 1180. Terminée en 1262, l'église abbatiale est une des plus anciennes constructions en brique typiques du nord de l'Allemagne

Märkische Landschaft: Obststadt Werder an der Havel und der Schwielowsee bei Potsdam

Scenes in the former province of Brandenburg: the fruit town of Werder on the Havel and Lake Schwielow near Potsdam

Paysage de la Marche: Werder sur Havel, la ville des fruits, et le Schwielowsee près de Potsdam

Tangermünde, alte Hansestadt an der Elbe. Das 1430 erbaute Rathaus besitzt einen der schönsten deutschen Backsteingiebel

Tangermünde, an old Hanseatic town on the Elbe. The town hall, built 1430, has one of the loveliest brick gables in Germany

Tangermünde, ancienne cité hanséatique aménagée sur l'Elbe. Le pignon en brique de l'hôtel de ville (1430) compte parmi les plus beaux du genre existant en Allemagne

Stendal, Bezirk Magdeburg, tausendjährige Stadt in der Altmark, mit gotischen Backsteinbauten. Hier das Rathaus und die Marienkirche

Stendal in the Magdeburg district, a 1,000-year-old town in the Old Mark, possesses a number of buildings in the Gothic brick style. Here the town hall and the church of St. Mary

Stendal dans le district de Magdebourg est une ville millénaire possédant encore de belles constructions gothiques en brique. L'hôtel de ville et l'église Notre-Dame

ung von Format

Lutherstadt Wittenberg, Stadt der Reformation, in der Luther seine 95 Thesen verkündete. Hier lebten Lucas Cranach und Philipp Melanchthon

Magdeburg. Im Inferno des Krieges sank die Stadt in Schutt und Asche. Aufopferungsvolle Arbeit ließ sie neu erstehen

The Reformation town of Wittenberg, where Luther posted his 95 Theses on the church door. The painter Lucas Cranach and the Reformer Philipp Melanchthon lived here

Magdeburg. This city was razed to the ground during the war, but much sacrifice and hard work have enabled it to rise from the rubble and ashes again

Wittenberg, ville de la Réforme. Dans cette ville où Luther publia ses 95 Thèses vécurent également Lucas Cranach et Philipp Melanchthon

Magdebourg fut presque entièrement détruite pendant la guerre. Diligence et sacrifices ont permis sa résurrection

Wernigerode: Das Rathaus, um 1420 erbaut, der „bunten Stadt am Harz", in der noch wertvolle mittelalterliche Bauten erhalten sind

Wernigerode: The town hall of this "colourful Harz town" dates from about 1420. Charming medieval buildings are still preserved here

L'Hôtel de Ville de Wernigerode, «ville multicolore du Harz», a été construit vers 1420. Cette localité possède encore nombre de jolies bâtisses médiévales

Stolberg, romantische Stadt und Luftkurort im Südharz. Um 1200 entstand das im 16. Jahrhundert erneuerte Schloß

Stolberg, a romantic health resort in the southern Harz. The castle was first built about 1200 and renovated in the 16th century

Localité au charme romantique située dans la partie sud du Harz, Stolberg est une station climatique recherchée. Construit au 12e siècle, le château a été rénové au 16^{e}

Leipzig, Messestadt und Treffpunkt des Handels, Stadt des Buches und der Pelzverarbeitung. Das Alte Rathaus wurde 1556 begonnen

Leipzig, trade fair town and commercial centre, is important for publishing and furs. The Old Town Hall shown here was started in 1556

Leipzig est célèbre pour sa grande Foire industrielle. C'est aussi la ville du livre et de la fourrure. L'ancien hôtel de ville a été entrepris en 1556

Weimar, einst Mittelpunkt des deutschen Geisteslebens. Goethe-Schiller-Denkmal vor dem Nationaltheater

This monument to Goethe and Schiller stands in front of the National Theatre at Weimar, once the focal point of German intellectual life

Weimar était jadis un grand centre culturel d'Allemagne. Statue de Goethe et Schiller devant le Théâtre National

Die 1067 errichtete Wartburg bei Eisenach, Aufenthaltsort von Luther, Wolfram von Eschenbach und Walther von der Vogelweide. Hier der vordere Burghof

Wartburg Castle near Eisenach, built in 1067, has had many illustrious visitors, including Luther and the medieval poets Wolfram von Eschenbach und Walther von der Vogelweide. Here, the front courtyard

Construite en 1067 près d'Eisenach, la Wartburg a abrité Luther, Wolfram von Eschenbach et Walther von der Vogelweide. Ici, une des cours

Erfurt, Industrie- und Blumenstadt im Vorland des Thüringer Waldes. Dom und Severikirche, die „Akropolis“ Thüringens, entstanden im 13. und 14. Jahrhundert

Erfurt, an industrial town also specialising in flowers, is situated in the foothills of the Thuringian Forest. Here, the cathedral and church of St. Severus, the "Acropolis of Thuringia", built in the 13th and 14th centuries

Centre industriel important et ville des fleurs, Erfurt est située au pied des Monts de Thuringe. La cathédrale et l'église St-Séveri, l'«acropole d'Erfurt», ont été érigées aux 13e et 14e siècles

Gotha, 1200jährige Stadt am Rande des Thüringer Beckens. Blick vom Schloßberg zum Alten Markt und Rathaus (1577 erbaut)

Gotha, on the edge of the Thuringian basin, is 1,200 years old. View from the castle hill to the old market and the town hall (1577)

Gotha, cité vieille de 1200 ans située en lisière du Bassin de Thuringe. L'Alter Markt et l'hôtel de ville (1577) vus du château

Jena, Universitätsstadt und Zentrum der feinmechanisch-optischen Industrie

Jena, university city and centre of the optical and precision instruments industry

Iéna, ville universitaire et centre de la mécanique de précision et de l'optique

Dresden, das „deutsche Florenz“, nach der Zerstörung durch den Bombenhagel im Februar 1945 aus den Ruinen neu erstanden

Dresden, known as the "Florence of Germany" because of its art galleries, has risen again from the ruins after the severe bombing it underwent in February, 1945

Dresde, la «Florence allemande» avait subi de terribles dommages, notamment lors du bombardement de février 1945. Une nouvelle ville est sortie des ruines

Dresden. Der Zwinger, 1711–1722 von Pöppelmann erbaut. Der „Festsaal unter freiem Himmel" ist eines der glänzendsten Beispiele des deutschen Barocks

Dresden. The Zwinger built 1711–1722 by Pöppelmann. This "open-air banqueting-hall" is one of the finest examples of German baroque architecture

Dresde. Œuvre de Pöppelmann, le «Zwinger» a été construit de 1711 à 1722. Cette «salle des fêtes en plein air» est un exemple typique du style baroque allemand

Meißen, Stadt des „Weißen Goldes". Der Dom auf dem Burgberg, 1240 begonnen, ist sichtbares Kennzeichen der ehrwürdigen Stadt an der Elbe

Meissen, the famous porcelain city. The cathedral on Burgberg Hill, started in 1240, has become the landmark of this venerable city on the Elbe

Meissen, la ville de l'«or blanc». Entreprise en 1240, la cathédrale qui s'élève sur le Burgberg est le signe caractéristique de cette vénérable cité aménagée sur l'Elbe

Annaberg-Buchholz im Erzgebirge. Die „Schöne Pforte“ der Annenkirche von 1512 zeigt die Vision des heiligen Franziskus

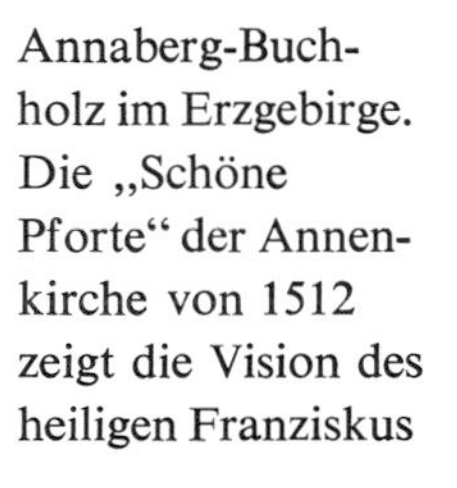

Annaberg-Buchholz in the Erzgebirge. The "Fair Portal" to the church of St. Anne (1512) depicts the vision of St. Francis

Annaberg-Buchholz dans l'Erzgebirge. La «belle porte» de l'église Ste-Anne (1512) représente la vision de St-François

Blick vom Lilienstein in der Sächsischen Schweiz auf das Silberband der Elbe bei Rathen

View from Lilienstein Rock in the "Switzerland of Saxony" down onto the silver ribbon of the Elbe near Rathen

La vallée de l'Elbe vue du Lilienstein dans la «Suisse saxonne» près de Rathen

Jagdschloß Moritzburg, im 16. Jahrhundert entstanden. 1723 – 1736 von Pöppelmann erweitert, dient heute als Barockmuseum

The hunting castle of Moritzburg was built in the 16th century and extended 1723 – 1736 by Pöppelmann; nowadays it is used as a baroque museum

Moritzburg était à l'origine un pavillon de chasse aménagé au 16e siècle. Agrandi par Pöppelmann de 1723 à 1736, c'est aujourd'hui un musée de l'art baroque

Görlitz, an der Neiße gelegen, zählt zu den wenigen gut erhaltenen deutschen Städten. Das auch innen künstlerisch wertvolle Rathaus wurde 1526 begonnen

Görlitz on the River Neisse is one of the few well-preserved German towns. The magnificent town hall (begun 1526) also has a fine interior

Görlitz sur la Neisse est une des rares villes allemandes bien conservées. Le magnifique hôtel de ville a été entrepris en 1526

Der Spreewald, einmalige Flußlandschaft in Mitteleuropa, in der die flachen Kähne das einzige Verkehrsmittel sind

These flat-bottomed boats are the only means of transport in the Spree Forest, unique river country in Central Europe

Dans la Forêt de la Spree, les barques plates sont le seul moyen de locomotion

Neubrandenburg. Das Treptower Tor, eines der wertvollsten Baukunstwerke der erhalten gebliebenen mittelalterlichen Wehranlage

Neubrandenburg. The Treptower Gate is one of the finest edifices in the medieval fortifications, which are still intact

Neubrandenburg. La Porte de Treptow, un des chefs-d'œuvre d'architecture des fortifications construites au Moyen Age

Rostock, eine fast vergessene Hansestadt, hat sich in kurzer Zeit zu einer wichtigen Großstadt und zum Haupthafen der DDR entwickelt. Die Marienkirche, eine der mächtigsten Kirchen des Ostseeraumes. Fast 400 Jahre wurde daran gebaut, beginnend im 13. Jahrhundert

Rostock, a Hanseatic city which had gone into decline, has in a short space of time developed into an important city and the chief port of the German Democratic Republic. St. Mary's Church, one of the mightiest churches in the Baltic area. Started in the 13th century, it took almost 400 years to complete

Ancienne cité hanséatique un peu oubliée, Rostock est devenue très vite une grande ville importante. C'est en outre le premier port de RDA. L'église Notre-Dame, une des églises les plus imposantes de la région de la Mer Baltique. Entreprise au 13ᵉ siècle, sa construction a duré près de 400 ans

Greifswald, seit 1456 Universitätsstadt, bewahrt zahlreiche historische Bauwerke. Massig überragt der Backsteinturm der Marienkirche die Giebelhäuser am Markt

Greifswald, a university town since 1456, still possesses numerous historic buildings. The massive brick tower of the church of St. Mary dominates the gabled houses in the market square

Ville universitaire depuis 1456, Greifswald est riche en édifices historiques. L'imposante tour en brique de l'église Notre-Dame domine les maisons à pignon de la Place du marché

Stralsund, ehemals mächtiges Mitglied der Hanse, zählt zu den ältesten Küstenstädten. Zierde der Stadt sind das Rathaus und die Nicolai-Kirche, 1270 begonnen

Stralsund, formerly a powerful member of the Hanseatic League, is one of the oldest coastal towns. The pride of the town are the town hall and the church of St. Nicholas, started in 1270

Jadis un des principaux membres de la hanse, Stralsund compte parmi les villes côtières les plus anciennes. L'hôtel de ville et l'église St-Nicolas (entreprise en 1270) sont les deux joyaux de l'endroit